MARY KATHERINE

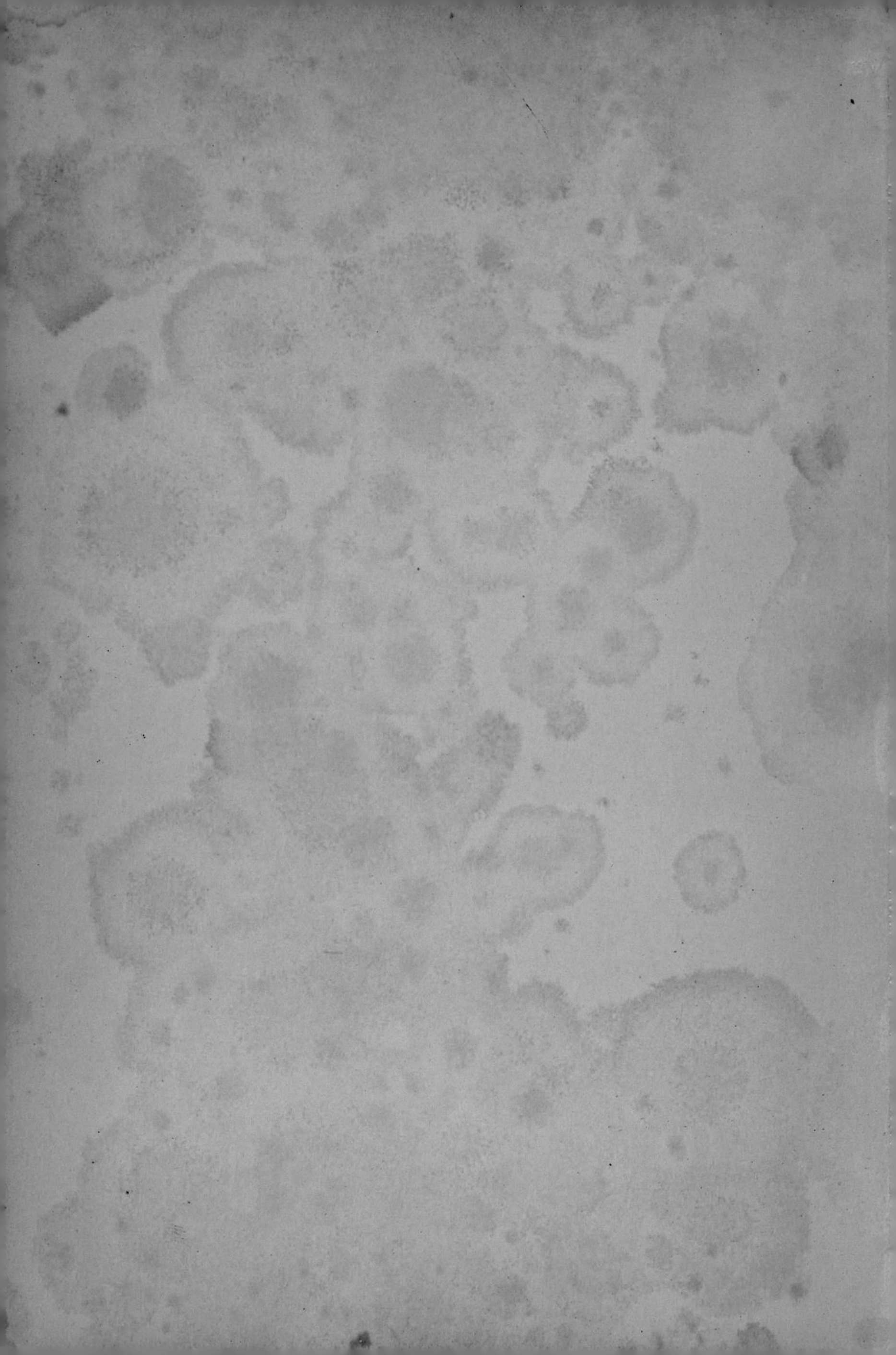

André Maurois

*André Maurois*

# EN AMÉRIQUE

EDITED BY

ROBERT M. WAUGH

*Head of French Department*
*at Hebron Academy, Hebron, Maine*

*AMERICAN BOOK COMPANY*

*New York Cincinnati Chicago Boston*
*Atlanta Dallas San Francisco*

WAUGH, AMÉRIQUE
E. P. I.

Made in U.S.A.

# PREFACE

Shortly after Maurois' first visit to the United States in 1927 Mr. John Bakeless wrote in his volume, *André Maurois, a Study of the Author of "Byron" and "Disraeli"*:[1] "It would be interesting to know what his first impressions have been; but on his first visit M. Maurois was well-nigh unique among visiting Europeans: except for a newspaper article or two, he had not come to write us up. Not yet! — But he promises to return."

*En Amérique* is Maurois' own account of those first impressions together with the more mature observations made four years later while he was visiting professor of French literature at Princeton University. With characteristic fairness and precision Maurois has published his first impressions in the same volume with notes taken later, in 1931, and has compared the two pictures of America: one made before and the other after 1929. To an American such a comparison by an impartial and celebrated foreign observer is of more than passing interest.

Part I is to a large extent subjective, dealing with the author's personal reactions to what he found new and strange in a foreign land and with the general aspects of our civilization which he observed prior to the "depression." Part II treats in a more thorough manner the more fundamental traits of our people and the effect of economic distress on our social order.

The editor hopes that this little volume may be the means of introducing more young Americans to a serious

[1] Published by D. Appleton-Century Company, New York, N. Y., 1932.

study of one of the great living biographers, essayists, and novelists. The increasing number of American magazine articles by and about Maurois as well as recent translations of his works attest to his continued popularity in this country; his position in the contemporary literature of France has long been assured. But *En Amérique* should do more than arouse the interest of students in Maurois himself and in his many writings; it should also stimulate them to study further the civilization of modern France. Though written primarily for the French, this work reveals Frenchmen to Americans quite as much as it portrays us to the Europeans. In studying the reactions of a cultivated and unbiased Frenchman to the aspects of American life which seem significant to him, an American can gain a deeper insight into the French mind and heart. By comparing and dispassionately analyzing the two civilizations Maurois sketches a picture of the racial psychology of both peoples from which either one can learn much. In these times, when social studies are occupying an increasingly important place in preparatory school and college curricula, the teacher of the social sciences may welcome a foreign language text that correlates so closely with his work.

The editor wishes to express his sincere gratitude to those who have assisted him in preparing this volume, especially to Mme. Ève Bussy-Roman, who read the manuscript and made many valuable suggestions, and to Professor Gerald Gardner of Bowdoin College, who graciously put the resources of the Bowdoin library at his disposal. In the preparation of the whole work the advice and help of the editor's wife, Florene Roop Waugh, have been invaluable.

# TABLE DES MATIÈRES

# INTRODUCTION

With all its horrors and devastation, war often brings to light some genius who, in times of peace, would probably remain in obscurity. Two wars changed the destiny of André Maurois. His family was one of those which, in 1871, chose to leave Alsace and continue to live on French soil. They moved to Elbeuf, a suburb of Rouen, where they continued to operate a woolen mill, the old "*affaire de famille.*" It was the World War which released Maurois from the mills at Elbeuf and gave to the world one of the greatest modern biographers.

André Maurois (Émile Herzog) was born at Elbeuf in 1885. At the *lycée* of Rouen he studied under excellent professors and excelled in English and philosophy. Though he speaks of all his teachers with affection and admiration, it was Professor Chartier who was his greatest inspiration. Professor Chartier, himself an eminent man of letters (he writes under the pen name of Alain), was at that time professor of philosophy at the *lycée* in Rouen. When this beloved teacher was transferred to Paris, the young Maurois followed so as to be able to continue under him the study of philosophy as a part of his preparation for teaching.

But the mills claimed him. On receiving his diploma he was told that the responsibility of carrying on the family business must fall on his shoulders. Renouncing an academic career was a hard blow, but, an obedient son, he became a woolen manufacturer and remained until the outbreak of the World War faithful to his small-town business. Maurois cannot be classed with those modern writers who lack maturity and background, because he employed the scant leisure afforded by his business in study, reading especially English classics and philosophy.

When the World War came, Maurois was made a liaison officer because of his excellent knowledge of English, gained by dint of study and many business trips to England. Attached at first to the Ninth Scottish Division, he was transferred later to the British General Headquarters. For the first time in his life he now had leisure for reading and writing. From intimate association with British officers he gained an understanding of them and found them both admirable and amusing. So his first book was *Les silences du colonel Bramble*, a collection of sketches of British army life. A friendly French officer took his manuscript to a French publishing house, which was somewhat reluctant to risk " another war book." But the book was an immediate success and went through several editions. Maurois' keen and sympathetic insight into the British temperament won popularity for this work across the Channel and established its author as a leader in Anglo-French understanding.

Encouraged by this first success, he continued to write, though he had to live at Elbeuf and divide his time between writing and business, three days a week at the mill and three days with his books.

For years his writings were of an autobiographical nature. At the *lycée* he had been imbued with ideals and hopes which had been thwarted or stifled by the hard realities of the business world. It was natural that his books should reflect the ideas and feelings so long pent up by the exigencies of his life.

*Ni ange ni bête*, an unsuccessful novel, is the story of a young idealist who finds his dreams in conflict with real life during the troubled times immediately preceding and following the Revolution of 1848. In *Les bourgeois de Witzheim* Maurois writes of Alsace, his ancestral home. *Les discours du doctor O'Grady* continues the earlier Bramble theme in Maurois' own sympathetic and witty style. Of course his life of Shelley is not an autobiography, yet the subjective theme is there, as in *Ni ange ni bête:* an artist whose ideals and ambitions conflict with the realities of life. In many respects *Ni ange ni bête* may be considered a first draft of *Ariel.* Those who feared that Maurois could not continue to merit the popularity won by his Bramble books were reassured by the publication of his biography of Shelley. *Ariel* established him as the French leader of the new novelized biography.

After the success of *Ariel* we find several more books of a subjective nature. In *Dialogues sur le commandement* a young army officer on furlough visits his old professor of philosophy to discuss the problem of leadership. *Bernard Quesnay* is perhaps the most autobiographical of Maurois' works. It is the study of a young man of artistic temperament who is not able to free himself from business and remains a small-town manufacturer. *Disraëli* is a successful return to biography. Here Maurois has pictured the life of a man who reconciled his artist's temperament with life in the world of public affairs.

Maurois' popularity in English-speaking countries brought him to England as a teacher and lecturer. *Aspects de la biographie* is based on the Clark Lectures, which he delivered at Cambridge University in 1928. In 1927 he visited the United States and lectured at several of our leading colleges and universities. Princeton University in 1930 invited him to be their first Meredith Howland Pyne lecturer in French literature and granted him an honorary degree. It is rumored that at that time he gathered material for a biography of Woodrow Wilson.

At present André Maurois lives with his second wife, Simone de Caillaret, and his family in a suburb of Paris and devotes all of his time to writing and study.

In this brief introduction there is not space for a critical discussion of Maurois' works, of which we shall mention only a few. Besides the books cited above perhaps *Byron* is the best known on this side of the Atlantic. Some critics consider it his best work, for it shows maturity, a tremendous amount of research, and a high degree of artistic unity.

*Voyage au pays des Articoles* is a clever satire on " arty " people who are out of touch with real art. *Lyautey* is a biography of Marshall Lyautey and an accurate account of his method of colonial expansion in Northern Africa. *Edouard VII* (The Edwardian Era) is more than a biography of that distinguished British monarch. Of this work Maurois says:

« L'objet de l'auteur ne fut jamais d'écrire une vie du Roi Edouard VII, mais d'étudier sous ses aspects divers une période récente et remarquable de l'histoire d'Angleterre, et de décrire, aussi exactement que les documents connus le permettaient, le mécanisme qui fait la guerre et la paix, et dont souverains, ministres, ambassadeurs et peuples sont les rouages, ambition, crainte, orgueil et courage, les moteurs. » [1]

[1] From "Note Liminaire" of *Edouard VII et son temps*, published in Les Editions de France, Ernest Flammarion, Paris, France.

*Climats*, *Le cercle de famille*, *Le peseur d'âmes*, and *L'instinct du bonheur* are Maurois' more recent novels. In writing a novel Maurois never tries to prove a thesis or point a moral. His characters are natural men and women who show, as in life, that every existence is complex and that life can never be reduced to comfortable formulas. He does not hesitate to approach intimate details of human relations as well as the broader problems of modern society, yet he is not one who tries to be brilliantly shocking. Thoroughly familiar with provincial life, he is also at home in the literary circles of Paris.

In his latest book (1935) the author of *Aspects de la biographie* has returned to the field of biography and literary criticism. *Magiciens et logiciens* (*Prophets and Poets*) is a series of essays on Rudyard Kipling, H. G. Wells, Bernard Shaw, G. K. Chesterton, Joseph Conrad, Lytton Strachey, Katherine Mansfield, D. H. Lawrence, and Aldous Huxley. The book also contains a list of French translations from the writings of these authors and a bibliography of related critical works by Frenchmen.

Maurois is best known as a biographer of great Englishmen. His *Ariel*, *Disraëli*, *Byron*, and *Edouard VII* are familiar to most students of contemporary literature. Along with Bradford, Strachey, and Ludwig he leads the new school of biography. But in many respects he differs from his colleagues, especially the eminent Englishman. Strachey's work is a reaction against the Victorian school of biography. The Victorian biographer was prone to idealize his subject, to describe a mask of the real man, to avoid unpleasant details, and to write nothing that might offend the family of the deceased. Most reactions, however useful, go too far, and it may be said that Strachey is occasionally too enthusiastic an idol-smasher, or, as Maurois puts it, is sometimes " a shade nastier than is really fair."

In turning to biography Maurois was in no sense an iconoclast; he turned to this form of writing as an avenue of self-expression. Fair-mindedness is the keynote of all his work. He first assembles all available facts, reads everything written on the subject, even visits places where important events took place, and then, his data before him, he sets out with the objectivity of a scientist, to write a work of art. He feels that the finished product should be a picture of the whole man and that in painting a picture no detail should be overlooked. Often a seeming trifle gives the clue to a situation or to a life better than a carefully listed mass of data. When all irrelevant material has been culled, what is really significant is used to make a book which is symmetrical and readable, yet scholarly and accurate. In writing a biography Maurois lays down a few rules for himself: he adheres strictly to chronology, uses only what is really significant in the life of his subject, yet in discarding what is useless does not forget that the smallest details are often the most interesting.

Then, too, he feels that in every life there is a certain harmony, a *motif* and rhythm to every existence. The author, by repeating this theme, gives to his biography a unity such as Wagner gave to a musical composition.

Like all outstanding men Maurois has critics and even enemies. He has been called superficial and witty rather than profound. Some feel that he has capitalized his success in order to commercialize his works and gain popularity in fashionable literary circles. It has been said of him that no one can write so much and write well. One critic has savagely accused him of plagiarism, especially in the writing of *Ariel.* Maurois defended himself most ably against this charge.

Only time will judge if he is a really great author. Certainly he is generally held in high esteem in Europe. The large number of translations now available in America prove that his popularity in this country is increasing. Even though he should cease to write and should not be admitted to the Academy, André Maurois has definitely made a place for himself in the literature of the early twentieth century.

## A PARTIAL LIST OF MAUROIS' WORKS

*Les silences du colonel Bramble*, Grasset.
*Ni ange, ni bête*, Grasset.
*Les bourgeois de Witzheim*, Grasset.
*Les discours du docteur O'Grady*, Grasset.
*Ariel, ou la vie de Shelley*, Grasset.
*Dialogues sur le commandement*, Grasset.
*Meïpe, ou la délivrance*, Grasset.
*Bernard Quesnay*, Gallimard.
*La vie de Disraëli*, Gallimard.
*Rouen*, Gallimard.
*La conversation*, Hachette.
*Conseils à un jeune Français partant pour l'Angleterre*, Champion.
*Études anglaises*, Grasset.
*Voyage au pays des Articoles*, Gallimard.
*Aspects de la biographie*, Grasset.
*Climats*, Grasset.
*Deux fragments d'une histoire universelle*, Éd. des Portiques.
*Contact*, Stols.
*Un journal de vacances*, Émile Hazan.

*Du côté de Chelsea*, Gallimard.
*Le pays des trente-six mille volontés*, Hachette.
*Byron*, Grasset.
*Relativisme*, Kra.
*Patapoufs et Filifers*, Hartmann.
*Tourguéniev*, Grasset.
*Le peseur d'âmes*, Gallimard.
*Lyautey*, Plon.
*Fragments d'un journal*, *Relativisme suite*, Kra.
*En Amérique*, Flammarion.
*Mes songes que voici*, Grasset.
*Le cercle de famille*, Grasset.
*L'Anglaise et d'autres femmes*, La Nouvelle Société d'édition.
*Chantiers américains*, Gallimard.
*Edouard VII et son temps*, Les Éditions de France.
*L'instinct du bonheur*, Grasset.
*Sentiments et coutumes*, Grasset.
*Magiciens et logiciens*, Grasset.

## LIST OF WORKS THAT MAY BE HAD IN TRANSLATION

The following are published by D. Appleton-Century Company:

*Lyautey*
*Byron*
*Disraeli*
*Ariel: The Life of Shelley*
*Mape: The World of Illusion*
*The Weigher of Souls*
*The Silence of Colonel Bramble*
*Atmosphere of Love*
*Bernard Quesnay*
*A Private Universe*
*The Country of Thirty-Six Thousand Wishes*
*Aspects of Biography*
*A Voyage to the Island of the Articoles*
*Captains and Kings*
*The Edwardian Era*
*The Family Circle*
*Voltaire*

*Prophets and Poets*, a translation of *Magiciens et logiciens*, and *Dickens* are published by Harper and Brothers.

Les notes qui suivent ont été prises au cours de deux voyages aux États-Unis, l'un fait en 1927, l'autre en 1931. Elles montrent deux Amériques différentes, la première en pleine prospérité, la seconde aux premiers jours de l'adversité. Je n'ai pas voulu les transformer, les corriger, tenir compte des événements nouveaux de ces derniers mois, car ce petit livre ne veut pas être un ouvrage dogmatique ou critique sur les États-Unis; on y trouvera simplement deux témoignages, du même témoin, sur des phases récentes d'un drame qui n'est pas encore achevé.

A. M.

# PREMIÈRE PARTIE

## *Premier Voyage aux États-Unis*

(MCMXXVII)

# I

## *Traversée*

Bien que mes yeux soient encore fermés, un imperceptible balancement me rappelle que je m'éveille en mer. Mon lit se refuse sous moi, puis me presse avec une curieuse insistance. Un bruit d'eau glisse avec le bateau. Murs blancs. Cadres d'un rouge étrusque. Le hublot s'ouvre sur un ciel de soleil. Agenouillé sur le lit, je regarde la mer. Dix mètres plus bas, l'écume et l'océan composent un beau marbre vert. Oui, tu peux être heureux ici. Tu dis souvent que tu souhaites une vie plus simple, une chambre blanchie à la chaux, pas de téléphone. Te voici réduit à une cellule et délivré pour six jours de tout devoir. Béatitude.

Se lever ? Pourquoi ? Qu'as-tu à faire ? Rêve en regardant au mur tes pardessus accrochés se balancer lentement, pendules. Dis, que vas-tu chercher en Amérique ?

— Des êtres nouveaux à comprendre. On les dit si différents; je ne puis le croire. J'aime à voir l'être humain face à face. Il me plaît de reconnaître en lisant l'histoire l'identité dans le temps; peut-être trouverai-je aussi l'identité dans l'espace ?

— Quelle thèse vas-tu vérifier ? t'aurait demandé M. Taine.

— Aucune. Je crains les idées générales; je les trouve toutes vraies, et toutes fausses. Non, le moindre individu ferait beaucoup mieux mon affaire. Que trouverai-je sur ce bateau ?

* * *

Le pont. L'air est vif, agréable. Des couples tournent, marchant très vite pour se donner l'illusion de l'étendue, tous inclinés, tous parallèles, sans le savoir. Un souffle géant gonfle, puis creuse les eaux noires. Entouré d'une barrière blanche, un tas de sable: des enfants jouent. Au-dessus d'eux, dans un long aquarium de verre, nagent lentement des poissons rouges qui traversent l'océan sur un bateau. Image peut-être de notre destinée. Un petit mousse en maillot bleu, béret frappé aux lettres d'or du *Paris*, pousse une voiture roulante, qui porte du bouillon brûlant et des biscuits. De petits écriteaux jalonnent la promenade: 0 *mètre* — 0 *yard* . . . 20 *mètres* — 22 *yards* . . . 40 *mètres* — 44 *yards*. . . . Comme tout à l'heure mon lit, le pont tantôt se refuse et tantôt presse avec force la plante des pieds.

Gong du déjeuner. Dans l'immense salle à manger fleurie, il est impossible de se croire sur un bateau. Le commandant présente:

— Juge S——, de la Cour Suprême des États-Unis . . . Mr. E—— (avocat de New York, visage intelligent et sarcastique) . . . Mr. Filene . . . (« Le propriétaire du plus grand magasin des États-Unis », me dit le maître d'hôtel, à voix basse.) M. le ministre de Cuba, qui revient d'une mission diplomatique en Turquie.

— Mission commerciale, monsieur le ministre ?

— Oh ! non, me dit-il, mission diplomatique auprès de Mustapha Kemal.

Je m'incline . . .

Puis, un couple qui arrive en retard: elle, très jolie; lui, massif, sympathique.

— Mrs. X——, présente le commandant.

* * *

Le soir, après le dîner, E—— m'offre une promenade sur le pont. Il fait très beau. On sent si peu le mouvement du bateau que, pendant un instant, je me demande quel est le sens de la marche. Parmi les étoiles monte une lune rougeâtre qui laisse sur la vaste plaine des eaux une longue traînée lumineuse. E—— parle de la guerre, qu'il fit comme officier. C'est émouvant et étrange d'entendre passer dans ses phrases des noms de villes et de villages français: Badonviller, Baccarat, Saint-Omer, étrange aussi de sentir qu'ils sont, dans sa mémoire, liés à des souvenirs qui lui semblent d'un exotisme surprenant. Un vieux maire de Lorraine, qui lui refusa une grange pour ses hommes, lui paraît aussi étonnant qu'à moi le maire Thompson de Chicago.

Le bateau est-il arrêté ? Il me semble que je n'entends plus le bruit de l'eau. Oui, des projecteurs cherchent le petit remorqueur qui doit amener de Plymouth les passagers anglais. Minuit.

Je retrouve ma cabine. Par le hublot, entre un air marin. Au-dessus du lit, la lampe est bien placée. Ouvrons Santayana.

« Quel est le rôle de la sagesse ? demande-t-il. De rêver, un œil ouvert; d'être détaché du monde sans pourtant être hostile au monde; d'accueillir la beauté fugitive et de peindre de fugitives douleurs sans pourtant oublier un instant combien elles sont fugitives. »

Une excellente pensée avant le sommeil. Que j'aime le bruit silencieux de la mer !

Soleil. Le *Paris* glisse, tranquille. Je lis dans ma cabine jusqu'à onze heures. Puis, je monte sur le pont. 5 La phrase: « Je monte sur le pont » évoque ici des sentiments identiques à ceux que fait naître au bord de la mer la phrase: « Je descends à la plage. » Je sais qu'après avoir traversé le grand hall où sont le bureau de renseignements, la sténographe, les télégraphistes, le coiffeur, les 10 magasins, je trouverai le soleil effleurant la crête des vagues, les femmes allongées, les enfants joueurs, et l'animation gaie des promeneurs. Tout de suite, je rencontre le juge S—— qui tourne avec E——.

— Bonjour, juge.

15 20 *mètres* — 22 *yards* . . . 40 *mètres* — 44 *yards* . . . Les vagues bercent à peine le navire impassible.

Mrs. X—— nous rejoint. Elle est charmante, ce matin, en robe rouge. Elle parle des maris français et des maris américains.

20 — Les Français, dit-elle, sont plus amusants; mais ils ne sont pas sincères et ils ne sont pas fidèles.

— Pourquoi dites-vous qu'ils ne sont pas sincères ?

— Parce que je le sais: pour eux, faire la cour à une femme est un jeu. Ils vous disent qu'ils vous trouvent 25 jolie; ils ne le pensent pas.

— Mais si, quand il s'agit de vous . . .

— Peut-être, mais ils le diraient aussi bien s'ils ne le pensaient pas . . . Et puis, ils traitent mal leur femme. La femme mariée américaine vit dans la laine, elle est à 30 l'abri de tous les ennuis de la vie. Si elle a envie d'un objet, son mari signe un chèque.

— Le Français, lui dis-je, donne peut-être moins de

chèques, mais plus de sentiments, plus de camaraderie.

— Donner des sentiments ? dit-elle. C'est trop facile.

— Vous croyez ? . . . Ce n'est pas rien que de comprendre une femme, d'essayer de deviner ce qui l'intéresse, 5
de faire effort pour rendre sa vie animée, remplie.

Elle rêve un peu.

— Comprendre une femme, dit-elle . . . Qu'y a-t-il à comprendre ?

Et elle tourne vers moi ses yeux qui sont beaux. 10

— Oui, dit E—— qui est célibataire, il y a quelque chose d'héroïque, vous verrez, dans l'attitude des maris américains. Elle me fait penser, moi célibataire, à la chevalerie, à la courtoisie du moyen âge. Il y a, chez nous, un don-quichottisme du carnet de chèques. Je connais des 15
maris qui ont signé jusqu'à la ruine, sans rien dire à leur femme qui pût l'attrister ou diminuer son plaisir. J'en sais un qui, travaillant déjà dix heures par jour et voyant croître les dépenses de sa femme, a fondé deux compagnies nouvelles pour ne pas lui refuser les bijoux, les robes, 20
les voyages dont elle avait envie . . . Il est vrai que, chez nous, la ruine n'a pas la même importance que chez vous. Un homme qui échoue recommence et, tout de suite, trouve du crédit.

— Mais alors, la femme n'est jamais associée aux af- 25
faires de son mari ?

— La règle est qu'elle les ignore et souhaite les ignorer.

Le mousse passe, roulant sa petite voiture blanche. Excellent, ce bouillon du matin, au soleil.

— La femme américaine, dit-il encore, est merveilleuse- 30
ment protégée. Toutes les lois sont en sa faveur.

Depuis une demi-heure, la conversation l'intéresse

beaucoup moins que deux passagères qui, marchant à grande allure, nous dépassent tous les deux tours... 80 *mètres* — 88 *yards*...

— A en juger par leurs jambes, me dit-il après une
5 longue méditation, ce sont des danseuses professionnelles.

* * *

Le déjeuner est marqué par une discussion assez vive entre Filene et le juge. Filene revient de Russie. Ce grand marchand s'intéresse avec une touchante passion aux affaires d'Europe. Il a fondé un prix de la Paix;
10 il est en correspondance avec les présidents du Conseil de tous les pays et distribue des millions « pour aider, dit-ils, à la réconciliation des Européens ». En Russie, les commissaires du peuple lui ont expliqué qu'ils n'ont rien de commun avec la Troisième Internationale.

15 — Comment ferions-nous de la propagande contre le capitalisme, lui ont-ils dit, puisque notre seule chance de salut est d'attirer ici les capitalistes ?

Filene fut convaincu. Le juge ne l'est pas.

— Vous êtes naïf, dit-il. Ne voyez-vous pas que leur
20 intérêt était de vous raconter ces histoires ? S'ils ne voulaient pas tolérer chez eux la Troisième Internationale, il leur serait facile de s'en débarrasser... Ils voulaient votre argent. Voilà tout.

Sur le doux visage de Filene se fige le masque du mar-
25 tyre.

En sortant de table, je demande au commissaire du bord:

— Expliquez-moi Filene.

— Filene, me dit-il, est un personnage remarquable.
30 Son père avait une petite boutique à Boston. En trente

ans, lui et son frère ont créé un magasin qui fait, je crois, sept ou huit cents millions d'affaires et l'ont relié à une chaîne de grands magasins situés dans d'autres villes, formant ainsi une alliance qui gouverne trente milliards d'affaires. Il est célèbre en Amérique pour avoir fait, le premier, un essai de démocratie industrielle. Filene a admis ses employés à participer à la direction de son affaire. Il les a laissés acquérir une partie du capital. Il est, me dit-on, adoré par eux . . .

— Il a l'air d'un saint.

— Je crois qu'il est un saint . . . Allez-vous au concert ?

Dans le salon, l'orchestre joue l'ouverture de *Tannhäuser*. Le thème des pèlerins devient, pour moi, Filene; le Venusberg, Mrs. X——. Qui pense à l'océan ?

* * *

Nuit bruyante. La sirène pleure, à intervalles réguliers. Je mets le nez au hublot; nous sommes en plein coton. Le matin, ayant peu dormi, je reste couché. Je lis un article d'Aldous Huxley, contre la civilisation américaine.

« Le monde sera américanisé, dit Huxley. C'est inévitable. Est-ce un bien ? Que peut-on attendre de ces machines trop parfaites ? Des loisirs ? Soit. Mais à quoi seront employés ces loisirs ? Nous le voyons aux États-Unis: à écouter des jazz au radio et à voir de mauvais films. Plus de loisirs signifie simplement plus de charleston, plus de cinéma. La production en série tue la beauté; elle augmente le confort, mais aussi la laideur. Même dans les choses de l'esprit, on cherche à produire pour la masse; or, la masse a mauvais goût. L'homme moyen hait la culture. L'homme moyen veut de la musique facile et des histoires sentimentales. Il est vrai que l'Amérique a encore l'illusion que l'éducation transformera l'homme moyen. Mais c'est faux, l'éducation ne transforme que quelques sujets d'élite. L'éducation de l'avenir sera aristocratique, ou elle ne sera plus. »

Au déjeuner, je soumets ces idées à mon ami Filene.

— Propos de cynique, me dit-il. Moi, je me refuse à être un cynique... Si soixante-dix ans de vie m'ont enseigné quelque chose, c'est à croire aux hommes et au progrès. Pourquoi dire que les loisirs seront toujours employés à entendre de la mauvaise musique et à lire de mauvais livres ? Est-ce que l'homme moyen n'a pas, jadis, compris Homère et la Bible, qui sont des chefs d'œuvre ? Est-ce que les meilleures salles de concert ne sont pas toujours pleines ? Chez vous, Hugo, en Russie, Tolstoï, sont des auteurs populaires: ce sont de grands écrivains... Quant à dire que la production de masses tuera la beauté, pourquoi ? Au contraire, la beauté devient une valeur industrielle... Voyez chez nous: Ford a été temporairement détrôné pour avoir refusé d'embellir sa voiture et il va, maintenant, retrouver son prestige pour avoir compris la valeur de la ligne... Un jour, je passais dans une rue de New-York avec un architecte de mes amis et je lui montrais d'affreuses maisons. « Ne vous en inquiétez pas, me dit-il, elles disparaîtront d'elles-mêmes parce que les hommes refuseront d'y vivre. » Il avait raison, on les démolit...

— Monsieur Filene, dit le juge, vous êtes un optimiste.

— *Yes, sir*, dit Filene avec fierté... Je crois que l'homme est plus heureux dans un univers d'où il a éliminé les bêtes féroces, le froid, la faim, et en partie la souffrance. Je crois que la science permettra de plus en plus de prévoir, et d'organiser la terre pour le bonheur de l'homme . . .

Monsieur Filene, dit X——, voulez-vous venir avec nous prendre le café dans notre cabine ?

— Le café, dit Filene, mais pas de liqueurs.

Le salon des X——. Coussins bigarrés, poupées italiennes, bouteilles de toutes couleurs, gramophone.

— *Sir*, me dit-il, vous allez voir notre pays . . . Surtout, ne soyez pas sarcastique . . . Vous trouverez une nation d'enfants . . . , de grands enfants . . . qui travaillent pour produire une grande chose . . . Quelle chose ? Ils ne le savent pas en ce moment . . . Ils ne l'ont pas encore compris . . . Mais ils savent que ce sera une grande chose . . . Seulement, elle n'est pas finie . . . , pas encore . . . Oh ! ne soyez pas sarcastique . . . Ils méritent mieux que cela . . . Ils méritent . . .

Rêveur, il soulève son verre et conclut:

— De grands enfants, *sir* . . . , oui . . . , et rien d'autre . . . De grands enfants qui aspirent à . . .

Un geste vers le plafond de la cabine achève seul la phrase. Mais je sens en lui, comme en Filene, un vague désir de bien faire qui est sympathique. Il y a en eux de la générosité, un idéalisme un peu confus peut-être, mais sincère. Sont-ils l'Amérique ?

* * *

— Je suis connu, me dit Filene, pour être le champion de la démocratie industrielle, mais je dois vous dire que je n'ai pas tout à fait réussi. Dans mes magasins, j'ai créé un conseil de direction où les employés ont la majorité, ils travaillent beaucoup, ils ont de bonnes intentions, mais ils sont timides. Les grandes audaces commerciales qui ont fait notre réussite n'auraient pas été possibles sous ce régime. Par exemple, mon sous-sol... Mais je ne vous ennuie pas ?

— Au contraire, lui dis-je.

* * *

5 Dimanche. Messe en musique. La grande glace du salon s'ouvre, démasque un autel. *Largo* de Hændel. Le violoncelle est excellent. Un prêtre américain officie. Sermon:

— *My dear beloved brethren*, nous devons tous deman-
10 der à Dieu de bénir la France, parce que nous avons tous envers elle une telle dette de gratitude... N'oubliez pas, mes chers frères bien-aimés, que vous devez prier chaque matin et aller à l'église chaque dimanche. Nous formons une nation privilégiée et qui semble, pendant
15 cette période de prospérité, obtenir sans prières tout le confort, tout le bonheur, tout l'objet de ses désirs, mais il y a déjà eu dans le monde une nation aussi prospère que nous, une nation qui avait étendu son empire sur tout le monde civilisé. Cette nation, c'était Rome, mes
20 chers frères bien-aimés, et quand elle a cessé de respecter ses dieux, Rome est tombée... Que ce soit, mes frères, une leçon pour nous tous...

* * *

Ce matin, au réveil, surprise d'apercevoir par le hublot de minuscules bateaux de pêche. Je me suis si bien
25 habitué au vide de l'océan que ce signe de la présence d'autres hommes, cette frange d'humanité m'émeuvent. C'est donc vrai qu'il y a un continent de l'autre côté ? Je suis triste; je m'habituais à mes compagnons. Il

faudra quitter mon ami Filene et la charmante Mrs. X——. Déjà, ce bateau formait une société où l'on concevait une vie possible.

Sur le pont, je trouve les Américains radieux:

— Venez voir la côte du Maine, me dit E——.

Spectacle étrange. On voit une terre à l'horizon. Un avion tourne autour du *Paris*. Un peu plus tard, un torpilleur nous croise. Le soleil est éclatant, l'air frais. Les X——, le juge, et E—— m'emmènent sur la passerelle. Ils veulent jouir de ma surprise.

— Nous sommes contents que vous arriviez à New-York par ce temps . . . C'est si beau.

Leur joie me fait plaisir.

— *Home, boys, home* . . . chante E——.

J'aperçois, très loin dans la brume, une longue croupe que dominent les formes crénelées de châteaux moyenâgeux.

— Quelle est cette colline fortifiée ?

Ravi, il éclate de rire en me tapant sur l'épaule:

— Il n'y a pas de colline, cher Français: c'est New-York.

# II

## *Contact*

J'attendais quelques gratte-ciel gothiques dominant une ville humaine. Je trouve Metropolis, ville de géants. Les rares maisons anciennes qui sont encore debout paraissent jouets d'enfants oubliés. Les églises, dont les clochers n'atteignent pas à l'épaule des maisons voisines, ne sont pas à l'échelle de la ville. Beauté de New-York, beauté égyptienne, beauté du palais Pitti à Florence, beauté massive.

Ici, les masses sont immenses et l'architecte a enfin compris comment il convenait de les orner. L'ancien gratte-ciel était affreux, décoré de chapiteaux corinthiens ou percé de fenêtres en ogive, hideux compromis entre la cathédrale et la caserne. Depuis dix ans, les constructeurs ont tout changé. Tantôt ils traitent les vingt premiers étages comme un roc, bloc de pierre unie que coupent seules les fenêtres entourées d'un simple bandeau, et sur cette masse rocheuse, ils bâtissent un château. Ainsi, le nouvel hôtel Savoy-Plaza fait penser au château Gaillard sur le roc des Andelys. Tantôt tout l'édifice va se rétrécissant de la base au sommet, par terrasses successives, temple assyrien. La décoration polychrome achève l'effet. Le toit du Plaza, d'un beau vert ancien rehaussé d'or patiné, est admirable à regarder de la Cinquantième Rue, dans la lumière enivrante de l'automne new-yorkais. De hauts plans verticaux d'ombre et de lumière forment, à droite et à gauche de la Cinquième Avenue, une allée. Tête levée, le Français admire l'infinie variété des formes et leur grandeur.

Mais c'est surtout le soir qu'il faut voir New-York. Alors, les hautes citadelles deviennent d'aériens vaisseaux de lumière. Autour du parc, trente étages de feux brillent dans l'air tremblant de la nuit. *Manhattan*, paquebot géant, glisse doucement dans l'infini. Dans les immeubles de bureaux, vides après sept heures, seules les tours bâties au sommet restent éclairées par des projecteurs dissimulés à leur base. De transparentes architectures paraissent soudain, très haut dans le ciel, parées d'une clarté lunaire et posées sur un socle d'ombre. On pense à ces paysages de rêve que peignait parfois Turner.

* * *

A New-York, dès le premier jour, il est impossible de se perdre. La ville est construite sur un long îlot rocheux, Manhattan, ce qui la limite en surface (d'où les gratte-ciel) et lui assure des fondations de granit pour ses constructions géantes. Sur cette île, dans le sens de la longueur, les géomètres ont tracé des avenues qui s'appellent, à partir de l'est, Première, Deuxième, Troisième, la quatrième étant Madison et la reine centrale la Cinquième. Puis, dans le sens de la largeur, des rues qui s'appellent, par exemple: Trente-Deuxième est à l'est de la Cinquième, Trente-Deuxième Ouest, à l'ouest de la Cinquième. Dans ce géométrique quadrillage, Broadway, qui coupe le plan en oblique, apporte l'élément de folie nécessaire.

La régularité du système rend la circulation assez facile. Des feux rouges et verts, placés très haut, visibles de loin, la règlent automatiquement. A intervalles réguliers, un feu rouge arrête les voitures, direction nord-sud, dans toutes les avenues. Alors, les rues laissent échapper le flot transversal. Trois minutes plus tard, le feu vert libère les avenues et les rues sont mises au repos. Le piéton sait exactement quand il pourra traverser sans danger. Il devient adroit dans l'art d'accomplir des trajets en ligne brisée, sans risque et presque sans arrêt. Bien que les agents soient moins nombreux que chez nous, la discipline de la rue est parfaite. Au moment où le feu change, il est beau de voir, aussi loin que l'œil peut atteindre, les escadrons de voitures s'arrêter au coin de chaque rue. Le sytème n'est irritant que la nuit. Alors, la circulation, dans certains quartiers, est presque nulle, mais le respect des feux est tel que le chauffeur s'arrête devant le néant.

Pas un piéton en vue, pas une voiture dans la transversale, et, pourtant, je reste trois minutes immobile au coin de Madison et de la Trente-Deuxième. La vénération de mon chauffeur pour une loi mécanique et muette me fera manquer mon train, mais je ne puis m'empêcher d'admirer, tout en guettant le feu vert, cet ordre prodigieux que sans doute une main unique, indifférente, ouvrant et fermant un commutateur dans quelque bureau d'un trentième étage, fait régner sur une ville où grouillent huit millions de blancs, de noirs et de jaunes.

* * *

1970. — « Oui, dit l'Américain au jeune Français avec lequel il venait de déjeuner sur la terrasse du cent trentième étage, 1100, Park Avenue, oui, dans mon enfance, New-York était une ville bien curieuse. Il y avait des petites maisons de trente, de quarante étages. En ce lieu même où nous prenons notre café, était une maison particulière. Toute la circulation se faisait au niveau du sol; les rues ascendantes étaient inconnues. La loi n'avait pas encore imposé aux architectes la hauteur unique qui a permis de réunir toutes les terrasses par le boulevard Supérieur. La Cinquième Avenue existait, mais non la Cinquième A, qui court au niveau du trentième étage, ni la Cinquième B, que vous avez vue au soixantième, ni la Cinquième C, du quatre-vingt-dixième. Les cinémas de huit à dix mille places étaient considérés comme grands. A huit heures du matin, il était impossible de trouver une salle de spectacle ouverte . . . Oui, New-York était, en ce temps-là, une curieuse petite ville de province. »

Ces rues à angle droit ne sont pas laides; l'esprit se repose en ces constructions purement humaines, avec une agréable sécurité. De plus en plus, les hommes modèlent les choses suivant les formes de leur intelligence.

— Heureusement, dirait Valéry. Il n'était que temps d'imposer un peu d'abstraction à un univers absurde.

* * *

La vie de Paris est agitée. Celle de New-York l'est bien davantage. A Paris, l'homme occupé compte ses heures; mais à New-York, ses minutes. Le téléphone, parfait, trop parfait, le poursuit avec une impitoyable certitude. La journée commence tôt. Mon éditeur m'invite à venir prendre le breakfast avec lui, à huit heures et demie du matin. A neuf heures toutes les femmes ont leur chapeau sur la tête. Celles qui travaillent vont à leur bureau; les autres ont leurs œuvres, leurs clubs, besognes volontaires, parfois utiles, parfois vaines. Tous les matins, à onze heures, le Town Hall de New-York donne une conférence; quinze cents femmes y assistent. Les emplois du temps, réglés de quart d'heure en quart d'heure, ne laissent aucune place pour le loisir. Les hommes ne rentrent pas déjeuner chez eux. Ils sont dans la ville basse, ville des affaires, et courent au club faire un repas rapide. Cependant, dans la ville haute, leurs femmes déjeunent avec des femmes. Vers le soir, la force nerveuse d'un New-Yorkais est épuisée. Rentré à sept heures, il s'étend quelques minutes sur un divan et ferme les yeux pour retrouver un peu d'équilibre, puis il s'habille pour le dîner, presque toujours pris avec d'autres couples, et va au théâtre, au cinéma.

A huit heures, Broadway, grand centre des spectacles, n'est plus que lumière, bruit et mouvement. Les billets de théâtre ne peuvent être obtenus que par les agences, difficilement, avec primes. On y paie les places sept, huit, quinze dollars. Roxy, la salle de cinéma géante, joue en spectacle continu à partir de dix heures du matin. Tout y est d'un luxe écrasant. D'impitoyables rocailles dorées surplombent la salle. Des officiers de marine en longue redingote vous conduisent à votre place. Après un film, l'écran remonte vers les cintres et trois grandes orgues, venues des profondeurs de la terre, prennent sa place sur la scène. Puis, les orgues, à leur tour, descendent et, sur le plateau, comme un thé bien servi, s'élève doucement un orchestre de cent cinquante musiciens. Après une symphonie de Beethoven, c'est un ballet russe. Puis un autre film. Le flot des spectateurs tourne dans l'immense salle, discipliné, sous le commandement des officiers de marine aux lèvres peintes.

Le besoin d'évasion par un art (même médiocre) est un caractère de cette époque dans tous les pays du monde, mais aux États-Unis plus encore que chez nous. Dans un récent procès, une femme ayant dit, au cours de son témoignage: « Nous étions au cinéma ce soir-là », le juge lui demande:

— En êtes-vous certaine ?

— Oui, certaine, parce que nous y allons tous les soirs.

* * *

— Vous décrire une journée de New-York ? Voici: Réveillé par téléphone à huit heures. Chambre d'hôtel; vingt-deuxième étage. Vue sur de hauts murs faits de briques jaunes et sur une étrange église à terrasses qu'entourent des jardins italiens; cyprès. Sur une terrasse voisine, à mi-ciel, deux hommes aux torses nus font un assaut de boxe. Bain. Grapefruit. Porridge. Coups de téléphone. Reporters. Invitations.

Cinquième Avenue. Plans verticaux d'ombre et de lumière. Feux rouges et verts. Affreux taxis orange. Onze heures: conférence au Town Hall, sur Disraëli. Large salle. Public féminin, intelligent. Après la conférence, questions posées de la salle. Taxi. Plans verticaux d'ombre et de lumière. Feux rouges et verts. Wiley, directeur du *New-York Times*, m'a invité à déjeuner. Gratte-ciel triangulaire. Machines géantes. Bobines de papier déroulées. Longues files de reporters à leurs pupitres. Belle salle à manger aux panneaux de chêne. Le rédacteur en chef, son assistant, quelques hôtes. Conversation brillante sur les affaires d'Europe. Taxi. A trois heures, conférence dans un club de femmes, sur Byron. Taxi. Quelques bonds de feu rouge en feu vert. Cinq heures, à demi mort, reçu à l'Université Columbia par trois cents jeunes filles. Discours sur le roman, sur le rôle de l'art. Elles sont charmantes, mais la vie a perdu pour moi toute saveur.

— Vous me tuerez, leur dis-je.

Elles semblent fières.

— Ce n'est rien, disent-elles. Joffre s'est trouvé mal et Foch a dit que c'était aussi dur que la guerre.

Une nymphe adroite me ramène dans sa Ford. Feux rouges. Feux verts. Hôtel. Bain. Smoking. Téléphone. Reporters.

Je dîne avec un excellent critique irlandais, sa femme et quelques amis.

Après le dîner, cocktail dans un appartement voisin. Nous sommes chez un banquier. Bibliothèque. Je regarde les titres: Morand, Cocteau, Keyserling, Thomas Mann, Forster, Virginia Woolf . . . Il y a là une actrice, Miriam Hopkins. Toute jeune, blonde, frêle; elle regarde les livres avec moi; elle parle de Proust, avec finesse. Puis, elle décrit une danseuse de ses amies qui est en train de se faire une culture.

— Elle écoute très bien, dit-elle; quand elle entend un titre, elle le note et, le lendemain, elle va l'acheter. Hier, elle a découvert Rabelais . . .

Cocktails. Le banquier me parle des dettes.

— Cela s'arrangera, dit-il.

L'Irlandais parle de Byron, miss Hopkins de son amie. Cocktails. Deux heures du matin. Taxi. Feux rouges, feux verts. Un bond de vingt étages. Par la fenêtre, entre un air tout chargé de sons et d'activité, et longtemps les cloches des ambulances, les sirènes des pompiers m'empêchent de dormir.

* * *

Pour les hommes, le romanesque réel de l'existence est, aux États-Unis, dans leurs affaires. Être un homme d'affaires est beaucoup plus « excitant » en Amérique qu'en Europe. La jeunesse du pays, l'abondance des richesses à exploiter, l'accroissement de la population, permettent à toute entreprise de grandir. La récompense est royale, offerte à tous. Ici, on ne trouve guère, comme en France, la vieille affaire de famille, transmise de père en fils pendant plusieurs générations. Des hommes nouveaux surgissent, qui prennent la place du fils du millionnaire. L'espérance est sans bornes, comme jadis en Orient. Le fils du savetier peut devenir sultan. Belle aventure, où s'assouvit la vieille soif des pionniers.

Secret de l'Amérique : la période des pionniers n'est pas encore terminée. Le pionnier ignore le loisir. Quand on défriche un territoire neuf, il y a toujours du travail. Dans une communauté de pionniers, il n'y a pas place pour le sceptique qui demande : « Quel est le sens de cette agitation ? » Le sceptique peut fleurir sur une vieille société qui vit par habitude et que la pensée même ne peut détruire. Il serait mortel pour un peuple jeune. Le paradoxe de l'Amérique moderne, c'est qu'au milieu d'une prospérité sans exemple elle conserve l'esprit du pionnier. Le banquier, l'éditeur, le journaliste, vivent ici comme s'ils défrichaient des forêts. C'est leur faiblesse et c'est leur grandeur.

L'Européen accuse volontiers l'Américain de ne vivre que pour le dollar. Rien n'est plus faux. L'Américain ne vit que pour son travail. « Les Américains ne font pas de l'argent parce qu'ils aiment à en faire, mais parce qu'ils n'ont rien d'autre à faire. » Le désir de posséder est plutôt moins vif en Amérique qu'en France. Seulement, le Français imagine très bien la fortune limitée qu'il souhaite, le capital dont les rentes lui permettront de mener dans son âge mûr une existence oisive. L'Américain, qui ne conçoit pas ce que serait cette vie de loisirs, travaille jusqu'à la mort et devient riche par désœuvrement.

Dans une société de pionniers, le travail seul est estimé. Un homme doit avoir un bureau, une usine, où il passe la plus grande partie du jour. Celui même qui n'a pas de travail réel vient s'enfermer dans son bureau aux heures saintes. Le charmant oisif qui lit, va voir les tableaux, fait la cour aux femmes, n'existe guère aux États-Unis. Un homme n'oserait pas jouer ce rôle. Les femmes elles-mêmes l'en blâmeraient.

A une jeune femme américaine qui a longtemps vécu en France, je demande:

— Qu'est-ce qui vous a le plus étonnée ?

— Cela va vous surprendre, me dit-elle, c'est un tout petit fait, mais qui serait tellement impossible ici. J'habitais, à Paris, rue de l'Université. Il y avait, au rez-de-chaussée de ma maison, une boutique de mercerie tenue par une jeune femme. Une après-midi, voulant acheter des gants, j'essaie d'entrer dans ce magasin et je trouve la porte fermée. Le lendemain, je demande à la marchande: « Eh bien ! vous étiez malade, hier ? — Oh ! non, me dit-elle, mais il faisait tellement beau que j'ai fermé le magasin et que j'ai été me promener au Bois . . . » Cela m'a révélé un monde inconnu.

Un professeur, qui a épousé une Française, me raconte ceci:

— Le plus joli mot que j'aie entendu de ma vie a été dit

par ma femme. C'était un jour, à New-York, nous étions dans un restaurant et vous savez que, d'habitude, le service est très bien fait dans les restaurants américains. Ce jour-là, c'était un peu lent. J'appelai le maître d'hôtel et lui dis: « Nous attendons ! » Il s'excusait quand ma femme, s'adressant à moi, dit d'un air étonné: « Mais nous ne sommes pas pressés. » J'ai trouvé que c'était la phrase à la fois la plus étonnante, la plus hardie et la plus délicieuse que l'on pût concevoir.

* * *

*Organisation.* — L'Américain traite le corps humain comme une machine coûteuse et délicate dont il faut économiser les mouvements. Il marche peu. Un professeur prend sa voiture pour aller de sa maison à l'Université (dix minutes de marche). Le voyageur a l'impression d'être entouré d'esclaves, chargés de manœuvrer pour lui ce corps qu'il a le droit d'oublier pour ne penser qu'à ses affaires. Le matin, chez le coiffeur de l'hôtel, assis et renversé en arrière dans le grand fauteuil à bascule, je sens qu'une main s'empare de mon pied droit et l'attire vers un invisible escabeau. Puis, des frottements réguliers m'avertissent que le nègre cireur travaille sur moi. Une autre main prend la mienne et l'allonge: la manucure. Tandis que ces trois esclaves me polissent et me raclent, je rêve et prépare mon discours.

* * *

*Pullman.* — Deux longues rangées de fauteuils tournants. A chaque voiture est attaché un nègre; dès votre entrée dans la voiture, il prend votre pardessus, votre chapeau, et les place avec soin dans le filet, au-dessus de votre fauteuil. Le conducteur, en échange de votre billet, épingle près de vous un carton qu'il a percé de trous mystérieux. Aucun contrôleur, désormais, ne vous dérangera: un coup d'œil sur la paroi le renseigne. De 5 loin, le nègre veille sur vous. Laissez tomber un livre, il le ramasse. Souhaitez-vous écrire, il vous apporte une petite table. Cinq minutes avant votre station, il vient, s'empare de votre sac, le dépose près de la sortie, s'en va, revient, prend votre pardessus dans le filet, le brosse 10 avec un étrange petit balai, le plie soigneusement sur le bras du fauteuil, donne un petit coup au chapeau, puis, agenouillé devant vous, fait briller vos chaussures. L'étiquette exige que, continuant votre lecture ou votre rêverie, vous ne sembliez même pas percevoir ces soins 15 muets. Au moment où vous vous levez (car votre corps consent encore à se soulever par ses propres moyens), le petit balai, doucement, se promène sur vos vêtements.

* * *

*Lettre écrite en chemin de fer.* — « Venez. Rien ne donne plus le goût de vivre qu'un matin dans la Cinquième 20 Avenue. Venez. L'air est enfantin, les promeneurs marchent vite. La foule, esclave des feux rouges et verts, avance par vagues, comme la mer. Les églises ont l'air d'enfants que les maisons tiennent par la main.

« Venez. Dans Harlem, vous verrez une ville noire. 25 Les passants sont noirs. Noirs, les marchands sur le seuil des boutiques. Noir, le marchand de billets à la porte de ce cinéma. Noire, l'ouvreuse qui vous y fait entrer, et noirs tous les spectateurs.

« Venez. Vous aurez, le matin, votre grapefruit glacé, 30 votre bouillie d'avoine et votre café. Je commanderai pour vous, dans les restaurants, tous les mets que nous ignorons. Nous boirons du bouillon de clams; nous mangerons du poisson bleu et de la succotash indienne. Puis, on nous donnera de la laitue, dans chaque feuille de laquelle sera roulé un petit morceau de roquefort, et de la tarte aux pommes avec du chester. Venez. Le soir, en sortant du théâtre, nous irons chez Child's manger des crêpes arrosées de sirop d'érable.

« Venez. Dans le train, un petit garçon qui murmure: « *Western Union* » viendra, bloc et crayon en main, vous offrir d'envoyer un télégramme. Un autre passe, portant une corbeille toute remplie de livres et de revues. Un troisième offre du chocolat et des paquets de pommes de terre frites. Le journal de mon voisin porte, en lettres majuscules: PANTHEON REFUSE AUX CENDRES DE VOLTAIRE. Les nouvelles de France, ici, prennent un air américain. Venez. Les locomotives ont des cloches au cou comme les vaches suisses et les porteurs nègres des lunettes d'écaille comme des jeunes femmes françaises.

« Venez. La vallée que suit le train s'appelle la Naugaqua. Elle ressemble à celle de Saint-Moritz et serpente parmi les rochers. De chaque gare en bois, on s'attend à voir sortir Charlot en clergyman. Près de la voie, des centaines de voitures sont rangées en demi-cercle. Venez. L'Amérique est un vaste désert que coupent des oasis de Fords.

« Venez, prête à croire à la vie, et même peut-être aux hommes. Venez essayer, pendant quelques mois, d'être plus jeune de quelques siècles. »

# III

## *Universités*

Ici, l'éducation est une religion et les riches donnent aux Universités comme en d'autres pays aux Églises. A l'Université de Yale, au moment où je suis arrivé, le président venait de décider que, les traitements des professeurs étant insuffisants, une souscription de cinq cents millions (vingt millions de dollars) serait ouverte. En trois jours, il avait réuni quatre cent cinquante millions. A Dartmouth, un chèque d'un million de dollars (vingt-cinq millions de francs) a été reçu cette année, pour construire une bibliothèque neuve, d'un ancien élève qui désire que son nom ne soit point révélé. Un Américain riche ne connaît pas d'honneur plus grand que d'enrichir l'Université qui l'a formé. L'abondance des dons pousse à créer sans cesse des cours nouveaux et à offrir aux élèves un choix peut-être trop grand d'objets d'activité. A Yale, le cours d'art dramatique possède un théâtre modèle, le plus parfait du monde pour l'emploi des lumières et la plantation des décors. C'est un lieu fort intéressant à visiter et l'on y a formé un grand auteur dramatique, Eugène O'Neill; mais je pensais, en l'admirant, à ce mot de Napoléon que le vieux père Lachelier nous rappelait un jour, en inspection générale:

— On enseignera principalement, disait Napoléon, le latin et les mathématiques.

Oui, et cela suffisait pour former de grands esprits.

* * *

*Princeton.* — « Il avait une mâchoire un peu dure, un sourire fixe, des lorgnons; pourtant, les femmes le trouvaient beau. Il était éloquent. Son caractère était un mélange de témérité et de faiblesse . . . »

Woodrow Wilson, président de Princeton . . . Woodrow Wilson, président des États-Unis . . . Woodrow Wilson à Paris, entre Clemenceau et Lloyd George . . . Puis, cette tragique et brusque déchéance.

Je suis logé chez le doyen. Ménage exquis, cultivé, délicat. Ici, je trouve un intérieur qui pourrait être français. Mrs. G—— travaille avec son mari, copie ses manuscrits, s'occupe de sa maison. Quand je descends de ma chambre, je la trouve devant sa petite machine, ou bien dans un fauteuil du salon, au coin du feu, un livre à la main. De la fenêtre, on aperçoit de grands arbres et la pelouse au gazon coupé ras sur laquelle est bâtie l'Université. D'innombrables petites voitures amènent les professeurs. Il pleut. Les étudiants sont tous vêtus d'imperméables cirés jaunes. Sans chapeau, ils arrivent par groupes de deux ou trois, livres sous le bras. Les bâtiments sont anciens et simples. Tout, ici, rappelle l'Angleterre de la fin du XVIIIe siècle et l'Amérique de Washington, gentilhomme campagnard anglais. Princeton n'est pas très différent d'Oxford. Quatre ou cinq siècles de différence d'âge, mais l'esprit est resté le même.

Délices de ce calme après l'agitation de New-York. Un vieux professeur de mathématiques en retraite, auquel je parle du rythme accéléré de la vie américaine, me regarde avec surprise.

— Agité ? me dit-il. Je ne suis pas agité . . . Je reste

quelquefois toute une semaine sans rien faire que d'aller au cinéma.

— Vous aimez le cinéma, professeur—— ?

— Oui, j'aime un bon mélo, une intrigue bien compliquée, des Indiens . . .

Puis il me parle d'Einstein, très bien.

— Évidemment, dit-il, la théorie semble vraie, puisqu'elle s'accorde avec les observations astronomiques . . . Et pourtant, je suis bien convaincu que tout cela s'exprimera un jour en termes de géométrie euclidienne. L'espace *a* trois dimensions; je ne peux pas le prouver, mais j'en suis sûr.

Son visage est reposé, heureux, ironique et, malgré ses soixante-quinze ans, très jeune. Que c'est agréable, un homme qui ne fait rien !

Il est le seul, d'ailleurs. Les autres travaillent. Fut-ce l'influence de Wilson qui remit ici les études en honneur ? Je ne sais, mais c'est une étonnante impression que de sentir l'ombre de cet homme toujours présente dès que trois ou quatre Princetonians sont réunis. Il y a ses amis et ses ennemis, aussi déterminés, aussi farouches qu'au temps où le président vivait. Les uns et les autres font preuve à son égard d'une grande honnêteté intellectuelle.

— Écoutez les deux camps, m'a-t-on dit ici . . . Pour vous permettre de les entendre, nous vous donnerons un dîner prowilson et un dîner antiwilson. Ainsi vous échapperez à la controverse, qui est vaine, et vous entendrez les deux thèses adverses.

Dîner des amis de Wilson. J'aime leur fidélité et leur bonheur de se trouver réunis.

— On se croirait au bon vieux temps, disent-ils.

Ils admettent l'entêtement de Wilson, ils admettent qu'il connaissait peu les hommes. L'un d'eux cite un de ses discours aux étudiants sur l'Amitié. Il leur expliqua que l'amitié n'est pas fondée sur des goûts et des plaisirs communs; qu'elle n'est pas fondée sur une recherche intellectuelle commune; qu'elle ne doit pas être fondée sur des souvenirs de famille ou de classe. Et comme nous commencions tous à nous demander sur quoi l'amitié pouvait alors être fondée, il nous expliqua qu'elle devait l'être sur le sentiment du commun devoir des amis envers l'État... Tout le monde pensa:

— Si c'est là l'idée que Woodrow Wilson se fait de l'amitié, que Dieu l'aide !

C'est, en effet, un des grands griefs de ses ennemis que son incapacité à comprendre les hommes. Il aimait, disent-ils, la société des femmes, parce qu'il y trouvait plus de complaisance et plus de facile admiration. Il se plaisait à en réunir quelques-unes, le dimanche après-midi, pour leur déclamer des vers de sa belle voix. Lui-même était facilement ému. « Un jour, la première Mrs. Wilson, pour l'amuser, se mit à lui lire, d'un ton légèrement moqueur, un poème sentimental. Quand elle leva les yeux, elle vit que ceux de son mari étaient pleins de larmes. »

* * *

*Preceptorials.* — Invention de Wilson encore. (Ah ! cette forte mâchoire toujours présente sous les ombrages de Princeton.) Un professeur réunit pour une heure un très petit nombre d'étudiants, cinq ou six, et leur fait expliquer un texte. Je me joins à un groupe. Le maître est jeune, très intelligent; la séance, familière. Tenue de sport: sweater blanc rayé de bandes vives. On fume des cigarettes. Le professeur offre du feu et fume lui-même. L'auteur est Pope.

— Est-ce que vous l'avez lu ? demande le professeur.
5 Qu'est-ce que vous aimez ? Qu'est-ce qui vous ennuie ?

Ils répondent sans aucun embarras, sans admiration feinte. Je me trouve interrogé, moi aussi, comme si j'étais un élève. Délicieuse impression d'avoir, pour cinq minutes, seize ans !

10 — Lisez ce petit paysage, B—— . . . C'est un paysage classique, n'est-ce pas ?

— Oui, dit B——, qui pose un instant sa cigarette.

— A quoi le reconnaissez-vous ? Supposez qu'un poète romantique, un Shelley ou un Byron, ait décrit ce
15 même paysage . . . Qu'en aurait-il fait ? Transposez en romantique.

L'heure passe avec une étonnante rapidité.

* * *

*Yale.* — Il faut que vous restiez demain pour voir le match de football, me dit le professeur Cross, de l'Uni-
20 versité de Yale, il faut . . .

J'aime beaucoup le professeur Cross. Nous avons parlé de Swift, de Sterne, et aussi de Flaubert et de Virginia Woolf. Il a un goût très sûr, une tendre ironie. Je resterai pour le match. D'ailleurs, je veux connaître
25 le football américain.

— Est-ce le rugby, professeur ?

— Oh ! non. C'est beaucoup mieux . . . Écoutez: le terrain est divisé en bandes de dix yards. Chaque camp a droit à quatre tentatives pour franchir une de ces
30 bandes avec le ballon. S'il y réussit en quatre fois, il a

le droit de passer à la bande suivante. Sinon, c'est le tour de l'autre camp. Porter ainsi le ballon jusqu'à la ligne de but exige un effort long, renouvelé. C'est un jeu plus lent et plus savant que le rugby . . . Mais ce que je voudrais surtout vous montrer, c'est le spectacle. Des 5 trains spéciaux sont venus de New-York, de Dartmouth, de tous les coins du pays.

Un gosse, sur le trottoir, nous arrête:

— Couleurs, *sir?* Plumes? Drapeaux?

On vend des drapeaux, des plumes aux couleurs des 10 deux Universités, vertes pour Dartmouth, bleues pour Yale. Les étudiants, animés, un peu anxieux, pilotent dans les rues des troupes de jeunes filles. Qui gagnera? Dartmouth a battu Harvard la semaine dernière. A deux heures, des milliers de voitures se dirigent vers le 15 Bol. C'est un stade qui ressemble à celui de Colombes, mais à demi enfoncé dans le sol. Je m'assieds entre le président Angell, de Yale, homme intelligent, très simple, et le professeur Nettleton, qui préside le Comité des Jeux. Autour de nous sont les partisans de Yale, qua- 20 rante mille drapeaux bleus; en face de nous, les amis de Dartmouth: trente mille drapeaux verts claquent au soleil. Le tableau d'affichage annonce: *Yale . . . Visiteurs . . . Nombre de yards à parcourir . . . Nombre de coups restant à jouer . . .* Chaque Université a son or- 25 chestre d'étudiants, pourvu de bruyants et gigantesques instruments de métal poli. Chacune a ses cris et ses chefs de cris.

Car en ce pays de l'organisation, le bruit même est bien réglé. Devant nous, trois jeunes gens, en sweater blanc 30 et pantalon gris, ont en main de grands mégaphones bleus. Ce sont eux qui nous commandent. Au moment où l'équipe de Yale paraît, au milieu du fol enthousiasme de notre foule bleue dressée, les mégaphones ordonnent: « Trois fois pour Yale ! » Et nous entonnons en chœur le chant de Yale, qui est emprunté au chœur des grenouilles d'Aristophane: « Bre ke ke ke ke coax coax . . . » C'est beau, ces hurlements collectifs ! Nous avons très bien crié. Les chefs de cris marquent leur enthousiasme en faisant tourbilloner en l'air leurs mégaphones, qu'ils rattrapent ensuite avec adresse comme des tambours-majors de la garde impériale, en faisant sur place des sauts périlleux. Cependant, en face de nous, Dartmouth, commandé par des mégaphones verts, pousse un cri de guerre indien.

La partie commence. A mes côtés, le président Angell est ému. Ces gens de Dartmouth semblent terribles. Mais Yale a un joueur étoile, le jeune Caldwell. C'est à lui que la ballon est passé presque chaque fois. Caldwell fonce dans la masse vivante et parvient, je ne sais comment, à gagner à chaque essai quelques yards.

— Trois fois pour Caldwell ! hurlent les mégaphones bleus.

Dociles, nous commençons: « Bre ke ke ke kex . . . » Yale avance.

— *Trois yards à gagner . . . Deux coups à jouer . . .*, annonce le tableau.

Le ballon passe à Caldwell. La foule bleue est debout. Caldwell bondit, écrase trois corps, tombe sur la ligne. Le tableau marque, pour Yale.

— Bre ke ke ke kex coax coax . . .

* * *

*Dartmouth.* — Chaque Université a son esprit, celui de

Dartmouth est sauvage. Collège isolé dans les forêts, sur les premiers contreforts de hautes montagnes, il fut fondé jadis, pour instruire les Indiens, par Eléazar Wheelock, homme pieux, « qui partit dans la brousse avec une Bible, un tambour et cinq cents gallons de rhum ». 5
Le cri de guerre de l'Université: *Wah hoo wah!* est un cri indien. Sur la girouette de la bibliothèque neuve, que l'on achève en ce moment de construire, on voit découpés l'Indien, Eléazar assis sur son tambour et, derrière lui, les jarres de rhum qui tournent à tous les vents. 10

Ici, les étudiants ont fondé un « club de sorties » (*outing club*) qui possède de nombreuses cabanes sur les sommets des collines boisées qui entourent Dartmouth, et même plus loin, dans la haute montagne. En s'inscrivant au club, on peut retenir une de ces cabanes pour 15
un ou pour plusieurs jours. On y trouve un lit, des couvertures, une table, une chaise et ce qu'il faut pour faire du feu.

— Alors, me dit un étudiant, si un soir, je me sens triste, si je suis tourmenté par un petit ennui, si j'ai eu une lettre 20
inquiétante de la jeune fille à laquelle je tiens, ou si, plus simplement, j'ai pour un soir envie de philosopher, je dis à un ami: « Achetons du bacon, une livre de maïs, du pain à sandwiches et partons pour la cabane. » Nous marchons dix ou douze milles, nous faisons cuire notre dîner nous- 25
mêmes, puis nous bavardons assez tard en regardant les étoiles sous les sapins. Dans ce grand décor naturel, tous les ennuis paraissent mesquins. Le lendemain matin, je redescends à ma chambre, frais, heureux et transformé.

* * *

On parle souvent de l'esprit démocratique des Amé- 30

ricains. Il existe, en effet, non dans la politique (où, comme partout, une minorité de professionnels gèrent les affaires du pays), mais dans les mœurs. Dans une Université, un étudiant pauvre ne risque pas d'être humilié. Il travaille pour gagner sa vie, soit qu'il serve à table ses camarades avec lesquels il vient ensuite s'asseoir, sans aucune gêne, soit qu'il loue ses services à des gens du pays. Une femme de professeur, ne pouvant trouver de domestiques, prend un étudiant pour laver ses carreaux, un autre pour cirer son parquet. Une jeune femme chez laquelle je dînais me dit qu'elle pouvait heureusement passer la soirée avec nous, bien qu'elle eût deux jeunes enfants, parce qu'elle avait trouvé un étudiant qui les gardait pour la soirée. Ces services se paient quarante cents l'heure, ou dix francs.

Le travail est si peu méprisé que ceux même qui n'en ont pas besoin s'y livrent par plaisir, par sport. Presque tous les étudiants, pendant leurs vacances, prennent un métier. L'un d'eux me raconte le plaisir qu'il a trouvé à être, pour un mois, vendeur dans un magasin de New-York, un autre à travailler sur les quais. Ces expériences les enrichissent et leur font connaître les hommes du peuple. Presque tous considèrent comme déshonorant d'aller voir l'Europe en payant son passage. Ils s'engagent à bord d'un bateau et font le voyage avec les hommes d'équipage. Quelquefois, quatre ou cinq amis forment ensemble un petit orchestre et rapportent de leur traversée un peu d'argent de poche pour l'année suivante. L'un d'eux me dit:

— Pour voir la France, j'ai lavé cinquante mille assiettes.

* * *

*Smith College.* — En 1870 mourait, près de Northampton (Massachusetts), une riche vieille femme, Sophia Smith, qui laissait trois cent mille dollars à un comité chargé de créer un collège de femmes. C'était une idée nouvelle. La fondatrice ordonnait que les Saintes Écritures, fussent, dans le collège, étudiées systématiquement, mais qu'on n'y donnât préférence à aucune secte. « Mon désir n'est pas, disait-elle dans son testament, de rendre mon sexe moins féminin, mais de développer aussi complètement que possible l'esprit des femmes et de leur donner les moyens d'une vie honnête, utile et honorable . . . »

Paysage charmant. Des avenues plantées d'arbres sont bordées de cottages. Les jeunes filles habitent par groupes de douze, de dix-huit. La maison où je suis logé s'appelle « Ellen Emerson ». J'y prends mes repas dans la salle commune, seul homme. De ma fenêtre, j'aperçois une pente couverte d'arbres au pied de laquelle est un lac. Des équipes de rameuses en sweater blanc s'entraînent. C'est très étrange de vivre dans une cité de femmes. Des groupes de jeunes filles passent, sans chapeau. Beaucoup sont à bicyclette, livres sous le bras. J'ai l'impression d'avoir pénétré par erreur dans une ruche, et d'être un frelon.

Thé de jeunes filles. Beaucoup d'entre elles parlent français. Smith College a pris l'excellente habitude d'envoyer tous les ans à Paris une partie de ses élèves de troisième année. Elles passent d'abord quelques mois à Grenoble, pour acquérir quelque habitude du langage, puis suivent à la Sorbonne les cours de civilisation française. Logées à Paris dans des familles qui ont été choisies avec soin, elles doivent mener une vie exactement semblable à celle de nos jeunes filles. Les résultats semblent excellents. Mes deux voisines ont toutes deux un bon accent. L'une est un peu folle, sans cesse elle se lève, esquisse un pas de danse, un round de boxe, puis revient s'asseoir en pirouettant. L'autre est douce et rêveuse. A Paris, elles étaient dans la même famille.

— Nos amis français, dit Y——, avaient un fils et une fille, Lucien et Marguerite . . . Comme on travaille en France, c'est affreux . . . Mais il y avait aussi le colonel, qui venait tous les dimanches, et qui nous baisait la main . . .

— Ah ! comme j'aimais cela, dit H—— en se levant pour mimer la scène. Il arrivait dans son bel uniforme bleu, il prenait ma main et il l'embrassait . . . J'attendais le dimanche avec impatience !

— Vous aimiez la vie, chez nous ?

— Oh ! oui, j'aimerais beaucoup retourner en France . . . Seulement, comme vous êtes sérieux et tristes ! Marguerite avait deux ans de moins que moi et elle savait déjà tant de choses sur l'existence ! Elle avait une philosophie si désabusée, si pessimiste ! Elle disait qu'il faut être résigné . . . Croyez-vous ? Résignée ! A dix-sept ans ! Et elle apprenait tant de choses ! . . . Tout cela pour être, un jour, une petite secrétaire et gagner trente dollars par mois. Croyez-vous ? . . . Trente dollars par mois ! C'est vrai, vous savez.

— Mais je le crois, lui dis-je.

Je leur demande ce qu'elles feront en sortant de Smith: veulent-elles vivre chez elles ou prendre un métier ?

— Nous voulons travailler, naturellement, dit Y——. Moi, je serai journaliste. Maintenant, déjà, je suis ici correspondante d'un grand journal de New-York auquel j'envoie les informations sur le collège. Mon amie veut être dessinatrice de jardins . . .

— Oui, dit celle-ci en se levant et en tourbillonnant. Venez voir le modèle de maison de campagne que je viens de faire . . .

Elle m'entraîne à travers les bâtiments, les arbres, le parc. Nous traversons le jardin botanique, où elles apprennent à connaître les espèces, puis les serres pleines de plantes tropicales, puis un jardin de rochers pour les plantes de montagne, puis la classe de jardinage où on leur apprend à composer des bordures de telle façon que le jardin ait des fleurs toute l'année, et que les mélanges de couleur soient beaux. Dans la salle suivante, quatre jeunes filles achèvent, avec de la terre glaise, de la mousse et des papiers de couleur, le plan en relief d'un jardin.

Le soir, je fais ma conférence dans la grande salle de concerts. Ce public de jeunes filles est un charmant spectacle. Après la conférence, petit souper chez les professeurs. Ils m'expliquent leur méthode:

— Ce qu'il faut, c'est les forcer à s'attacher à un texte et à le connaître parfaitement. Leur tendance naturelle est de toucher à tout et de ne rien approfondir. Cette année, nos élèves n'auront lu qu'un livre, *Le Crime de Sylvestre Bonnard*, mais elles l'ont étudié mot par mot.

— Elles sont intelligentes ?

— Très intelligentes, pleines d'idées originales, et peut-être plus fantaisistes, plus poétiques que des Européennes. Mais elles ne travaillent pas beaucoup.

Le lendemain matin, on me montre le gymnase. Il y a classe de danse, et une cinquantaine de jolies filles, en tuniques courtes, lancent et rattrapent des fleurs imaginaires. Puis, nous descendons à la piscine; quelques nageuses en maillot apprennent à plonger. La maîtresse, en maillot elle aussi, très jeune, est assise sur le marbre et note avec gravité les légers défauts de chaque plongeuse. En sortant, nous trouvons dans la prairie un groupe de tireuses à l'arc et, derrière ces Dianes chasseresses, deux équipes de joueuses de hockey. Sur le lac, quatre longs bateaux se poursuivent à grande allure. Tout cela prend un air de rêve. Je me souviens qu'au temps où j'avais seize ans, on nous donna un jour, comme sujet de dissertation: *Le Collège au Pays d'Utopie.* Ce que j'avais décrit ressemblait à peu près à ce décor idyllique et païen.

# IV

## *Femmes et Jeunes Filles*

L'appartement de Mrs. D—— est au neuvième étage, dans Park Avenue. Elle a de belles peintures chinoises, des dessins russes modernes, des manuscrits rares. Veuve, elle s'intéresse à l'histoire et surtout à celle de l'Asie, et entretient en ce moment, à ses frais, une mission qui fait 5
des recherches sur Gengis Khan. De sa fenêtre, on voit trembler dans la brume la mer des lumières. J'aime beaucoup Mrs. D——. Elle est savante sans être pédante et généreuse sans ostentation.

— Vous avez beaucoup vécu en France, mistress D——. 10
Est-ce que vous trouvez les Françaises très différentes de vos amies américaines ?

— Et vous ? me dit-elle.

— Oh ! moi, mon jugement n'a pas de valeur; j'ai passé si peu de temps ici . . . J'ai trouvé à New-York 15
quelques femmes qui feraient d'agréables Françaises . . . Mon seul grief serait peut-être l'extrême difficulté qu'on trouve à les voir ailleurs que dans un grand repas ou au théâtre. Une femme a, chez vous, des jours aussi remplis que ceux d'un homme d'affaires. Quand elle travaille, 20
je le comprends encore, mais quand elle n'a pas de métier, pourquoi charger ses journées, depuis le matin, de comités, de clubs, de conférences ? Est-ce que vous croyez vraiment que c'est utile ?

Elle sourit. 25

— Non, bien souvent, c'est tout à fait inutile... Seulement, il faut toujours que vous pensiez à la jeunesse de notre civilisation. Vous me disiez, l'autre jour, que le secret de nos hommes vous semble tenir tout entier dans le mot: pionnier. Le secret de nos femmes est le même: elles sont des femmes de pionniers. Pensez que, dans ce pays, l'Assistance Publique et l'Instruction Publique ne sont pas des fonctions d'État. Pensez qu'il y a cinquante ans, beaucoup de villes, aujourd'hui importantes, n'existaient pas. Chez vous, la petite ville, héritière d'un long passé, a toujours connu son hôpital. Il s'est appelé autrefois l'Hôtel-Dieu; il a passé doucement des mains des religieuses à celles des infirmières municipales. Mais enfin il était là; il était l'institution officielle, ancienne, aux pierres grises, aux marches usées. Chez nous, l'hôpital n'existait pas. Dans une ville d'Université comme Princeton, il n'a été créé que récemment, par des femmes de professeurs. Il fallait bien que tout fût fait...

« C'est ainsi que pendant les cinquante dernières années, les meilleures des femmes, les plus dévouées, ont créé, au prix d'un dur travail, des infirmeries, des écoles, des clubs. Dans les petites villes, mille institutions dépendent des femmes: le musée, l'ouvroir, la crèche. Tout ce « travail social » dont le nom semble vous amuser était, en réalité, indispensable. Ainsi fut prise peu à peu l'habitude de passer la journée de comité en comité.

« Aujourd'hui, dans une ville comme New-York, ces organismes sont devenus tellement grands que l'État ou la Ville les ont absorbés. Mais les femmes ont quelque peine à changer de mœurs. Ce travail qui a été le leur et que l'État a repris leur manque. Elles fondent par désœuvrement, par générosité aussi, des comités pour aider les enfants polonais, les femmes belges, les réfugiés russes . . . Vous auriez, vous Européens, quelque ingratitude à vous en plaindre. Mais je reconnais que beaucoup de ces comités sont devenus de simples thés 5 mondains, prétextes à photographies et à visites de reporters . . .

« Au fond de tout cela, il y a pourtant un désir de s'élever, de s'améliorer, désir assez touchant, sincère, mais qui prend quelquefois des formes ridicules . . . Tenez, 10 l'autre jour, comme on sait que je m'intéresse à la musique, on m'a demandé d'assister à une séance du Verdi Club. J'y suis allée, par curiosité. Cela se passait dans un hôtel, à dix heures du matin; il y avait environ cent cinquante femmes, toutes très graves. On a apporté un chevalet, 15 sur lequel était un portrait de Verdi, puis une pianiste a joué du Verdi, et la présidente, debout devant le portrait, a lu un message à Verdi et un éloge de Caruso. Après quoi, comme l'heure était passée, les cent cinquante membres du Verdi Club se sont dispersées, conscientes 20 de s'être un peu « élevées ». J'allais sortir quand, voyant deux employés de l'hôtel emporter le portrait de Verdi et le remplacer par un autre, je leur ai dit:

« — Ce n'est donc pas fini ?

« — Non, m'ont-ils dit; maintenant, c'est l'heure du 25 Browning Club.

« Le portrait était, en effet, celui de Robert Browning et, une à une, j'ai vu entrer cent cinquante ou deux cents autres femmes devant lesquelles une présidente a lu, avec de grands gestes vers le portrait, un message à Browning 30 aussi édifiant que le précédent. Puis, elles aussi, ayant élevé leurs âmes, sont enfin allées déjeuner. Sans doute, si j'étais restée, aurais-je assisté, entre midi et une heure, à une séance du Meredith Club . . . Tout cela est assez comique, mais je vous assure que toujours s'y mêle une assez belle religion de la culture. C'est vrai que toutes les salles de conférence sont remplies de femmes dès onze heures du matin; cela vous paraît peut-être, à vous Européen, un peu surprenant, mais ne croyez-vous pas tout de même qu'à écouter d'excellents spécialistes elles finissent par apprendre quelque chose ? »

— Oui, mais, de votre côté, ne croyez-vous pas que des loisirs, un peu de solitude, la lecture, seraient beaucoup meilleurs encore pour la formation de l'esprit ?

— Peut-être. Mais, monsieur Maurois, j'ai vécu dans vos grandes villes d'Europe, j'ai vécu à Paris, à Londres; je n'ai jamais constaté, moi, que les femmes y eussent tant de loisirs . . .

— Elles en ont trop peu; mais, honnêtement, madame, elles en ont plus que vous. On peut les voir seules, on peut parler tranquillement avec elles pendant de longues heures . . .

— Là, me dit-elle, vous touchez à un point très curieux de nos mœurs; mais la femme est-elle responsable ? Une femme américaine qui voudrait consacrer une partie de son temps à des conversations avec des amis hommes se heurterait tout de suite à cette difficulté que les hommes ne le souhaitent pas. Les femmes, chez nous, s'agitent beaucoup, justement parce que les hommes les laissent seules. Les sexes mènent des vies beaucoup plus séparées qu'en Europe. L'homme est absent tout le jour; il se tiendrait pour déshonoré s'il rentrait déjeuner chez lui. Alors, que voulez-vous ! Il a bien fallu organiser une société de femmes. D'où nos clubs; d'où aussi une solidarité plus grande des femmes. Chez nous, les amitiés de femmes sont franches et durables. En Europe, il semble toujours que les femmes soient en lutte pour la conquête des mâles, ou même, dans les capitales, pour la conquête de l'influence. On veut avoir un salon; on s'arrache des ministres, des académiciens. Nos vies sociales, plus rudimentaires, moins agréables sans doute, nous affranchissent, du moins, de tels désirs. Il n'y a pas de salons à New-York; il n'y a pas de thés; il y a peu de conversation; mais il y a, je crois, plus de franchise et plus de simplicité dans les rapports entre les êtres.

— Et les enfants ?

— Le problème existe, mais il est moins grave que chez vous, parce que les enfants vivent moins longtemps à la maison. Assez jeunes, on envoie filles et garçons comme internes dans des collèges; ils ne rentrent chez leurs parents qu'aux vacances. Vous avez peu vu les classes moyennes, les ouvriers; si vous viviez parmi eux, vous comprendriez qu'il leur est très difficile d'avoir une vie de famille. Un revenu de soixante dollars par semaine, revenu très normal à New-York, chez des petites gens, soit quatre-vingt mille francs par an, permettrait, en France, d'avoir une vie organisée, des domestiques . . . Chez nous, le loyer et les gages sont si élevés que la plupart des femmes de cette classe doivent se passer de serviteurs. Ceux-ci sont, d'ailleurs, à la fois négligents et exigeants. Souvent, ils habitent en ville, ne viennent que le matin. A la campagne, une de mes amies est forcé d'avoir un garage pour la voiture de sa nurse, celle de la cuisinière, celle de la femme de chambre, et d'accorder à chacune un jour par semaine en dehors du di-

manche. Vous imaginez les conséquences: des maisons mal tenues où l'homme n'aime pas à vivre, le commun désir du couple de passer le plus de temps possible au dehors. Une femme aura facilement sa voiture, le
5 téléphone, un radio, des bas de soie et la manucure deux fois par semaine, mais elle devra faire sa cuisine. Or, elle est mauvaise maîtresse de maison. On gaspille beaucoup dans les maisons, on achète une quantité de choses inutiles: sucreries, ornements de table, magazines.

10 « Les enfants coûtent très cher dès qu'ils grandissent; leur seule ambition est de s'échapper du foyer. Je connais une mère de famille qui, il y a quelques jours, attendait avec impatience le retour de sa fille. Elle avait préparé une petite fête, commandé les plats préférés de
15 l'enfant prodigue, pris des places de théâtre. La jeune fille arrive; elle avait organisé depuis longtemps une soirée avec des amis de son âge. La tristesse de la mère fut muette, mais assez pathétique, je vous assure... Vers dix-huit ou dix-neuf ans, le jeune homme et la
20 jeune fille ont leur voiture et, à partir de ce moment, on ne les voit plus jamais à la maison...

« Encore une fois, je vous décris des mœurs moyennes. Il y a, en Amérique, des foyers du type ancien; il y a beaucoup d'enfants qui adorent leurs parents (et quelquefois
25 d'autant plus qu'ils les voient moins); mais tout de même, le *home*, le vrai *home* de jadis, si on en parle encore beaucoup dans les chansons, on ne le voit plus très souvent... Beaucoup de jeunes ménages s'installent dans des hôtels à appartements où ils ont une chambre, un salon, et où
30 leurs repas leur sont montés tout préparés. »

— Et que croyez-vous préférable ? Nos mœurs ou les vôtres ?

— Monsieur Maurois, je m'excuse de la brutalité de ma réponse: je trouve votre question sans intérêt. Des mœurs nationales ne sont pas préférables à d'autres; elles sont . . . Si le foyer tend à disparaître chez nous, c'est pour des raisons économiques très fortes auxquelles il n'est pas en notre pouvoir d'échapper. D'ailleurs, je me demande si le phénomène est limité à l'Amérique. Ne croyez-vous pas que la vérité soit, non pas que les États-Unis sont en train de créer une nouvelle morale sexuelle, mais que la morale sexuelle évolue dans le monde entier, sous l'influence de changements économiques ? . . .

« L'extrême dépendance, le demi-esclavage de la femme dans le mariage est venu, je crois, de sa faiblesse physique, de son impuissance à se défendre, à exécuter certains travaux. Mais le développement de la machine ruine la valeur de la force physique. Bientôt, les travaux de force les plus pénibles pourront être exécutés par une femme, qui poussera une manette ou un commutateur. Il en est de même de la défense: le revolver, que la femme peut manier, l'emporte bien facilement sur le boxeur. Si, dans un ou deux siècles, il y a encore des guerres, il est certain que les femmes y prendront part. Est-ce qu'il n'est pas naturel que, capables désormais des mêmes activités, elles exigent la même liberté que l'homme ? »

— Ce que vous dites, madame, est profond et vrai. Peut-être est-il permis de se demander si elles en seront, ou non, plus heureuses.

— C'est permis, mais c'est encore une question assez vaine. Il est certain qu'en ce moment, nous vivons dans une époque de transition, qui subit les mœurs nouvelles sans avoir encore construit les complexes sentimentaux qui, héréditairement transmis, finiront par rendre ces mœurs, non seulement acceptables, mais évidentes pour les générations suivantes. Dans la génération présente, la femme qui exige son indépendance se heurte à la souffrance d'un homme qui n'a pas encore accepté l'égalité. Mais ne pourra-t-elle pas, dans les générations qui suivront, se refaire un bonheur de forme différente avec des hommes qui n'auront connu que l'égalité ? . . . Et puis, posez la question autrement : étaient-elles vraiment si heureuses les femmes d'hier, ces femmes esclaves que vous avez l'air de regretter ? Relisez votre Balzac, monsieur Maurois : est-ce que Mme de Mortsauf était heureuse ?

— Mme de Mortsauf était une malheureuse parce que M. de Mortsauf était un anormal et une brute.

— Oui, sans doute, mais il fallait une réaction contre un type de civilisation qui livrait les femmes, pieds et poings liés, à des messieurs de Mortsauf . . . Cette réaction est peut-être allée trop loin . . . Toutes les réactions vont trop loin. Celle-ci continuera encore un peu, puis, comme toujours, viendra une période de régression et de mise au point. Mais nous ne reviendrons jamais aux mœurs anciennes . . . Monsieur Maurois, puis-je vous donner un conseil ?

— Certes, madame.

— Si vous écrivez sur ce pays, ne pleurez pas sur la destruction du foyer américain, c'est banal, et surtout c'est inutile. Prenez mon cas. Mes enfants sont au collège, mais je les adore et je suis sûre qu'ils m'aiment beaucoup . . . Vous avez dîné, l'autre soir, avec le ménage de mes neveux ; vous avez vu là deux êtres jeunes, qui ont les mêmes goûts, et qui s'aiment beaucoup, très simplement, comme le meilleur des ménages européens... C'est très grand, l'Amérique, on y trouve de tout... Je vais vous dire ce qu'il faut faire: si vous voulez faire comprendre la femme américaine, écrivez, un jour, un roman sur *une* femme américaine. Ce n'est que par 5 l'individu que l'on peut atteindre l'espèce.

J'aime beaucoup Mrs. D——.

* * *

*Invitation par une jeune fille.* — « N'oubliez pas que vous dînez avec moi samedi. Une bonne manière de vous en souvenir est de lier dans votre esprit l'idée du samedi 10 à celle de *Robinson Crusoé.* Puis, donnez à chaque lettre une valeur numérique, divisez par 26, ajoutez le premier nombre qui vous viendra à l'esprit (sauf votre numéro de téléphone). Si vous ne vous souvenez pas de tout par cette méthode, il n'y a plus qu'à consulter un spécialiste. 15 Donc, sept heures. Je sais que c'est une heure infernale pour inviter un Français à dîner; mais les directeurs de théâtre sont des êtres vulgaires qui ne garderont pas leur rideau baissé, fût-ce pour vous et moi.

« —— » 20

* * *

— Ce que je voudrais, dis-je à Q—— ... Mais je suppose que c'est impossible.

— Impossible, dit-elle, n'est pas américain.

Q—— est fille d'un Français, professeur à l'Université de H——. Elle est née à New-York, parfaitement belle 25 et Américaine de tout son cœur.

— Ce que je voudrais, lui dis-je, c'est avoir une longue

et sérieuse conversation avec quelques jeunes filles américaines, mais très peu, cinq ou six, pas deux cents, comme l'autre soir, à l'Université.

— Quand vous embarquez-vous ? me demande-t-elle.

Je lui indique le jour.

— Eh bien ! le soir de votre départ, je vous offre un dîner d'adieux avec cinq de mes amies; vous serez le seul homme.

— J'adore être le seul homme. Où cela ?

— Chez moi; je mettrai mes parents à la porte.

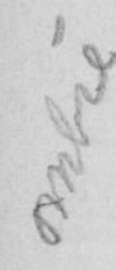

Le ravissant dîner ! Elles sont six, toutes jolies et de beautés si diverses. Il y a de pâles blondes au type scandinave, une fille du Sud aux yeux virginiens, des robes roses, blanches, bleu ciel, vert d'eau; teintes et âmes lavées, estompées. Q—— raconte sa journée. Elle suit, à Columbia, des cours d'anatomie.

— Pourquoi faire ? Vous voulez être médecin ?

— Oh ! pas du tout ! Pour m'occuper. C'est si amusant de découper des langoustes, des vers, des lapins.

— Comment ? Vous faites de la dissection ?

— Oui. Vous devriez venir nous voir. Nous avons chacune notre langouste, chacune notre lapin. Le mien était si gentil que j'ai été désolée quand il a commencé à sentir mauvais et qu'il a fallu le jeter . . . Mais vous vouliez nous poser des questions ?

— C'est vrai, je voulais vous demander à toutes comment vous comprenez la vie, le bonheur . . . , enfin, quand vous pensez à l'avenir, comment vous aimez à l'imaginer ?

Elles se regardent en riant.

— Des confessions ?

— Si vous voulez.

— Alors commencez, E——.

E——, la robe rose, devient plus rose que sa robe.

— Moi, dit-elle . . . Ah ! que c'est difficile . . . Eh bien ! je me prépare à être avocate . . . Le bonheur ? Je ne veux pas être heureuse, il me semble que cela doit être terriblement ennuyeux. 5

— Moi, dit la robe bleu pâle, je voudrais voyager, voir tous les pays, la France, la Grèce, les Indes, et avoir un mari pour prendre mon billet et enregistrer mes bagages . . . Mon idée du bonheur, c'est d'être irresponsable. 10

— Vous ne voulez donc pas vous rendre utile et faire du « travail social », comme toutes les femmes que je vois ici ?

— Non, je trouve cela ridicule.

— Et vous, Q—— ? 15

— Oh ! moi: un mari, des enfants, un piano.

— On voit bien que vous êtes fille de parents français. Idées d'Européenne . . .

Elle proteste:

— Mais pas du tout ! Rien ne me blesse plus que 20 d'être appelé Européenne. D'abord, je veux un mari américain. Ce sont les seuls bons. Et puis, je n'ai pas ces étranges idées sur la vie qu'ont mes cousines françaises, qui veulent la commencer comme leurs parents la finissent, avec un vrai appartement, un salon et une 25 cuisinière. Moi, pas du tout. Je suis prête à commencer très difficilement et à cuire les repas de mon mari.

— Vous savez ?

— Naturellement. Il y a des cours de cuisine.

C'est le tour de H——. 30

— Moi ? dit-elle . . . Vivre à l'hôtel et être follement amoureuse.

— Mais tout le monde souhaite cela, protestent les autres.

— Pas du tout, dit-elle, vous avez toutes bien trop peur. Vous voulez être aimées . . . Vous ne voulez pas 5 aimer . . .

— Et G—— ?

— Un *home*, dit la robe vert d'eau, mais surtout quelque chose à faire en dehors du *home*. Je ne peux pas supporter l'idée de rester seule dans ma maison pendant 10 que mon mari sera à son bureau et les enfants au collège. Je veux pouvoir sortir de chez moi à neuf heures du matin et n'y rentrer que le soir.

Les deux suivantes ne parlent que de leur métier: l'une veut passer sa vie à organiser des matinées d'en- 15 fants; l'autre élève des poulets aux environs de Boston, seule dans une ferme, et ne souhaite que continuer.

Puis, la robe rose se lève et murmure longuement à l'oreille de Q——; celle-ci sourit.

— Ah ! oui, dit-elle, c'est notre tour, maintenant . . . 20 Nous avons préparé une question à vous poser. Nous voulons vous demander une consultation . . . Comment une femme doit-elle s'y prendre pour rendre un homme fou d'elle, mais vraiment fou, vous savez ?

Je suis embarrassé:

25 — La cristallisation . . .

Stendhal me sert ici, et Proust. J'essaie de leur expliquer cet étrange mécanisme des passions, qui fait que l'on poursuit ce qui vous fuit. Je leur rappelle *Andromaque*. Elles semblent à la fois tristes et satisfaites.

30 — Voyez-vous, dit la robe rose, c'est exactement ce que je vous disais: on ne peut pas être sincère; si on est sincère, on éloigne l'homme qu'on aime . . .

— Non, dis-je, je ne voudrais pas du tout vous donner cette impression. Je vous ai expliqué de mon mieux une des formes de la passion, celle que vous me demandiez, parce que vous avez prononcé le mot: *fou.* Mais on peut imaginer un sentiment plus profond, qui résiste à la certitude; c'est le seul qui vaille d'être recherché.

— Parlez-nous de cet amour plus profond...

Je leur parle de *La Princesse de Clèves*, du *Lys dans la Vallée.*

— Et il y a encore des hommes capables d'aimer comme cela ?...

— Hélas ! oui.

Onze heures. Mon bateau part à minuit. La ronde des jeunes filles roses, bleues, vertes, tourbillonne et s'entasse dans les trois petites Fords. Adieu, feux rouges, taxis orange ! Je traverse New-York pour la dernière fois. Voici déjà ma cabine blanche et nue.

# V

## *Retour*

Voyage de retour, si différent de ce que fut le voyage d'aller. Sur le *Paris*, j'étais curieux, avide d'êtres nouveaux. Maintenant, lourd d'images trop rapidement accumulées, chargé de gratte-ciel, de nègres, de neigeuses
5 plaines canadiennes et de jeunes amitiés, je ne souhaite plus que laisser mon esprit au repos, pour que se décante ce mélange trop riche.

Depuis que nous avons quitté l'Amérique, je pense à Philéas Fogg. Nous croyons tous savoir que la Terre
10 tourne, mais il faut tourner autour d'elle pour que cette idée devienne solide. Quand nous allions du Havre à New-York, chaque nuit on gagnait une heure; on se réveillait le matin surpris d'avoir bien dormi, frais, presque toujours heureux. Au retour, les jours n'ont plus que
15 vingt-trois heures . . . Le plus grand philosophe, mettez-le sur un paquebot qui vogue vers l'est, il s'irritera.

Au milieu de l'océan, l'air est tiède; bien que novembre soit avancé, nous pouvons rester étendus sur des chaises longues, en plein air. Les grandes vagues imposent à
20 l'esprit un mouvement lent et mesuré. Je lis Proust, *Le Temps Retrouvé*, et ces pages si belles où il explique que la grandeur de l'art véritable, c'est « de retrouver, de ressaisir, de nous faire connaître cette réalité loin de laquelle nous vivons, de laquelle nous nous écartons de plus
25 en plus au fur et à mesure que prend plus d'épaisseur et

d'imperméabilité la connaissance conventionnelle que nous lui substituons ».

Proust pense à la psychologie des individus, mais cela est aussi vrai de celle des peuples. M'éloignant à vingt nœuds à l'heure de ce grand objet bigarré qui s'appelle les États-Unis, je tends, par une pente naturelle, à le remplacer par des formules commodes. Dans six jours, je serai en France. Mes amis exigeront de moi une Amérique en trois points et, ne pouvant les faire passer par deux mois de sentiments et de sensations, je dessinerai malgré moi un dessin schématique et faux. Il faudrait, pour dire des choses justes, que l'Amérique fût présente en mon esprit, au moment même où je parlerai. Or, plus que personne je vis dans le présent. Déjà, les seules réalités sont cette mer d'un vert sombre et la blanche lumière de l'*Ile-de-France* qui monte, laiteuse, des grands vases du salon et dessine au passage, dans l'air, d'invisibles et tournoyantes fumées, comme un enfant, frottant d'un crayon l'album aux pages préparées, fait apparaître un dessin caché.

Fermons les yeux. De ces deux mois, que me reste-t-il ? Souvenir plaisant ou déplaisant ? Plaisant, sans aucun doute, j'ai aimé ce pays et, chose étrange, j'ai pendant tout le voyage lutté contre cet amour. J'étais parti désireux de sympathie, mais presque certain de n'en pas former. Je pensais: « Le traité . . . Les dettes . . . Et cette double attitude si insupportable . . . Cet idéalisme; cette âpreté . . . » J'avais lu Waldo Frank, Sinclair Lewis et, les estimant beaucoup l'un et l'autre, je cherchais inconsciemment à penser comme eux. Je suis certain que Frank et Lewis ont connu ce qu'ils ont décrit; je ne puis peindre que ce que j'ai rencontré.

Désormais, je penserai qu'il y a là-bas, tout près de nous, à six jours, un immense réservoir de force et d'amitié. Surtout, un immense réservoir de jeunesse. Si je m'exerçais, comme l'exigent certains médecins psychiâtres, à répondre sans réflexion, par instinct, à un mot par un autre, et si l'on me demandait: « Amérique ? », je dirais aussitôt: « Jeunesse. » Le souvenir qui, pour moi, domine tous les autres, c'est, sur un fond de hauts plans verticaux percés de fenêtres innombrables, des visages jeunes, cette foule gaie de Princeton ou de Smith. La jeunesse, ici, n'est pas mêlée, comme parfois chez nous, à la timidité, à l'inquiétude; elle a quelque chose de délibéré qui donne confiance dans la vie.

Un visage jeune. Un peuple qui a vingt ans, alors que nous en avons quarante. Les défauts et les vertus de l'adolescence; sa curiosité, sa franchise, sa gaieté, mais aussi sa naïveté, ses erreurs, son absence de sens critique, son exagération . . . *Amérique. Jeunesse* . . . Et, si l'on me forçait à dire un second mot, ce serait: *Agitation.* Il me reste le souvenir d'une course folle, d'un incroyable défilé d'êtres, d'images, d'actions improvisées, souvent réussies, car il me semblait acquérir dans ce pays une force dont je ne me croyais pas capable. Moi, nerveux, si facilement fatigué, j'ai été pendant deux mois, en dépit d'une vie folle, bien portant, vivant, heureux. J'étais plus jeune en Amérique; il y avait dans cet automne admirable une vigueur fraîche qui m'emportait.

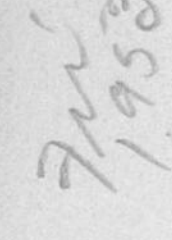

Un autre mot ? *Générosité.* Mais oui, générosité. Je sais bien que je vais surprendre beaucoup d'Européens, justement méfiants. C'est vrai, la politique américaine a pu paraître égoïste depuis la guerre. Pourtant, peut-on juger un peuple sur les actes de ses hommes politiques ?

Le mécanisme qui transforme les volontés individuelles en décisions nationales fonctionne mal. Sans aucun doute, on peut trouver là, comme ailleurs, des professionnels de l'ambition qui exploitent pour leur réussite personnelle les passions et l'ignorance des électeurs. Mais, que ne peut-on trouver dans un pays de cent dix millions d'habitants ? « Je connais ce cheval, disait Aristote, je ne connais pas la chevaléité. » Je ne connais pas l'Américanisme. Les Américains que j'ai rencontrés m'ont paru sincèrement généreux.

L'hospitalité est, là-bas, plus spontanée, plus naturelle qu'ailleurs. Sur ce bateau, le jour du départ, j'ai trouvé dans ma cabine vingt volumes, envois de vingt amis pour le voyage. Pendant la traversée des radios suivaient, derniers messages.

Leurs défauts ? L'ennui et l'absence de sens critique. Un ennui qu'ils masquent sous leur effroyable activité, mais dont cette activité est le signe. L'Américain est obligé de tuer le temps, d'oublier ses soucis en faisant quantité de choses dont aucune ne le tente et en les faisant très vite. De cette rapidité naît aussi l'absence de sens critique. Toute doctrine nouvelle est aussitôt acceptée.

« Ce dont les Américains ont besoin, écrit un Américain, Langdon Mitchell, ce n'est pas ce qu'ils possèdent déjà, c'est-à-dire des sentiments généreux et chauds. De tous les peuples, ils sont celui qui a les sentiments les plus vifs, et c'est en cela qu'ils sont nobles et grands; mais ce qui leur manque, c'est la connaissance. »

Oui, peut-être . . . J'ajouterai que, dans les petits groupes d'élite, dans une certaine société de New-York, dans les Universités, déjà le sens critique s'affine.

Plus exactement, ce qui leur manque, c'est une longue hérédité de culture et de loisirs qui leur donnerait un instinct plus sûr des valeurs. L'Américain croit un peu trop facilement. Tout ici devient religion, depuis le Freudisme jusqu'au Conduitisme. En littérature, en psychologie, l'homme moyen cherche un directeur de conscience. Chaque semaine, il y a *le* livre qu'il faut avoir lu. En France, quand un livre a du succès, sa vente continue pendant des années. En Amérique, on m'a cité des romans dont, une année, on avait vendu cinq cent mille exemplaires, et trois cents l'année suivante. Pays de modes collectives, qui n'a pas encore appris le scepticisme et l'art d'ignorer. On veut tout savoir et, comme aucun homme ne peut bien savoir un grand nombre de choses, on lit des panoramas de la science, des panoramas de l'histoire, bien faits, d'ailleurs, mais sans beauté, parce que le détail en toutes choses est seul vrai. Le plus grand succès de librairie de l'an dernier a été une *Histoire de la Philosophie*, qui contenait soixante pages sur Voltaire, et trois seulement sur Descartes.

Tout cela, d'ailleurs, n'est vrai que des masses, non des élites. Un Américain très cultivé est identique à un Français très cultivé. Dans les Universités, des hommes comme le doyen Gauss, de Princeton, le professeur Cross, de Yale, dix autres, ont une culture française, une culture anglaise, qu'on peut égaler, non dépasser. Les jeunes générations d'étudiants deviennent, elles aussi, plus informées. Question d'âge. Ce peuple vieillira.

Sont-ils heureux ? Il y a parmi eux des êtres malheureux. Beaucoup de jeunes écrivains ont exprimé une lassitude, un dégoût sincères, mais ce fut une vague qui déjà retombe. Il y a eu un temps où il fallait beaucoup de courage pour dire que tout n'était pas parfait en Amérique, puis le public prit goût à ces ouvrages iconoclastes, des écrivains firent fortune en composant des romans satiriques et pessimistes. L'homme le plus lu d'Amérique est, aujourd'hui, Sinclair Lewis, qui, raillant Babbitt, Américain moyen, a su se faire lire par Babbitt. Maintenant, il faut beaucoup de courage à un écrivain américain pour oser faire l'éloge de l'Amérique.

Nous avons vu se former sous nos yeux un poncif du pessimisme américain. Le grand journal, la grande revue, qui connaissent bien le goût de leur public, accueillent très volontiers les articles les plus durs sur la civilisation américaine. L'écrivain étranger, qui a été séduit par cette fraîcheur jeune du pays, est rappelé à l'ordre avec douceur: « N'avez-vous pas plus de réserves à faire ? Ne trouvez-vous pas d'autres critiques ? . . . » L'Amérique est comme ces femmes trop riches, trop comblées, qui préfèrent ceux qui les bousculent.

Sont-ils heureux ? J'ai vu, là-bas, des milliers d'hommes et de femmes qui ne semblaient pas malheureux. Ils étaient absorbés par le mécanisme d'une grande ville; New-York fabriquait pour eux leurs plaisirs comme leurs travaux; ils acceptaient les uns et les autres. Si la réflexion sur soi-même est, comme le pense Alain, le pire des maux humains, ils y échappent.

Évidemment, on se demande:

« Que feraient-ils si les objets de cette incessante activité leur étaient soudain arrachés ? Que deviendrait un Américain condamné aux loisirs forcés ? »

Je crois qu'il serait très malheureux. Mais le problème est artificiel. Pendant une centaine d'années encore, peut-être pendant deux cents, trois cents ans, ce pays suivra une marche ascendante. Il peut nourrir trois cents millions d'habitants. Dès qu'on sort d'une grande ville, on trouve un désert. Aux environs mêmes de New-York, Long-Island n'est pas entièrement colonisé. Il y aura des crises temporaires, mais la courbe (vue de haut et de loin) sera une courbe ascendante.

Et si le perfectionnement même des machines condamnait l'Américain aux loisirs forcés ? Au moment où j'étais en Amérique, un article scientifique décrivait un homme artificiel déjà réalisé, que l'on emploie pour surveiller des stations électriques secondaires, qui peut vérifier des niveaux, lire des appareils, et communiquer par téléphone au bureau central le résultat de ses observations. Que de tels êtres mécaniques deviennent plus parfaits et n'allons-nous pas à la journée de travail de six heures, de quatre heures, de deux heures ? Les Américains passeront-ils alors dix heures par jour au théâtre, au cinéma, aux matches de base-ball ?

Là encore, je crois le problème artificiel. De tels changements apportent presque toujours avec eux les remèdes qu'ils rendent nécessaires. Optimisme ? L'histoire des hommes n'enseigne-t-elle pas un certain optimisme ? L'introduction des machines, au début du XVIII^e siècle, posait un problème plus difficile que ce que l'on appelle aujourd'hui avec terreur « américanisation ». Il me semble qu'il a été résolu et qu'un Anglais ou un Français de 1927 sont loin d'être plus malheureux qu'un Anglais ou un Français de 1727. Au contraire, je dirais que l'homme moyen est probablement plus heureux.

Que deviendra l'Amérique dans vingt ans, dans cent ans ? Aucune intelligence humaine ne peut résoudre une équation à cent millions d'inconnues. Soyons modestes. Gardons-nous des prophéties et des idées générales. Répondons aux événements au moment où ils se produisent. Que faut-il faire demain, en tel endroit ? Voilà un problème précis, utile, humain. Il n'en faut pas vouloir 5 connaître d'autres.

* * *

Paris.

— Nous serons mangés par ces gens-là, me disent-ils.

— Mais non, ils ne souhaitent pas nous manger. Nous leur ressemblons déjà beaucoup plus que nous ne le 10 savons, et pourtant nous restons nous-mêmes et nous vivons. Et pourquoi, surtout, douter si fort de notre pouvoir ? Si leur exemple agit sur nous, le nôtre n'agit-il pas sur eux ? Ce qui est terrible, en France, c'est que les Français ne veulent pas savoir à quel point ils gardent, 15 à l'étranger, un prodigieux prestige intellectuel. Déjà, en Suède, j'avais été stupéfait de trouver une précieuse culture française que personne ne m'avait annoncée. En Amérique . . .

— Mais non, me disent-ils encore, mais non, voyez: 20 autrefois, toute leur littérature venait d'Europe, tout leur art était inspiré par nous, toute leur architecture était faite de nos styles; les États-Unis de 1900 étaient très humbles devant l'Europe. Maintenant, nous avons perdu notre influence, ils se croient émancipés; ils veulent 25 tout tirer de leur fonds.

— Vague passagère. Comme chaque adolescent, ils écrivent en ce moment leur roman autobiographique. Mais croyez qu'ils restent fidèles à ce que nous avons de vraiment grand. A nous de leur prouver que nous avons 30 quelque chose à dire. Tout, là-bas, dépend de la qualité de ce qu'on y exporte. Nous avons cru très longtemps que nous pouvions leur envoyer ce qu'au fond de notre cœur nous savions nous-mêmes médiocre. Ce n'est plus vrai. Il y a eu un temps où, dans les Universités américaines, nos étudiants faisaient figure de docteurs. Puis, nos licenciés triomphèrent. Maintenant, ils exigent des agrégés et font venir Joseph Bédier pour enseigner les langues romanes. Tout cela n'est pas dangereux pour nous, au contraire. Il y aura toujours de la place au monde pour ceux qui en sont dignes.

Serons-nous « américanisés » ? Pourquoi ne pas admettre aussi bien que l'Amérique sera « européanisée » ? L'histoire est toujours plus complexe que ces formules simples et fausses. Les deux continents se comportent comme des vases communicants. Certes, un peu de l'agitation de Chicago ou de New-York ondulera jusqu'à nous à travers l'océan; un peu du calme de Châteauroux et d'Avallon cheminera, par des voies mystérieuses, vers Kansas-City et San-Francisco.

— Je vous défie, me disait un Américain, devant sa baignoire retournée qu'il avait transformée en bar, je vous défie de me citer une ville de France dont je ne puisse vous décrire l'église.

* * *

Une impression juste que l'on rapporte est comme une flamme en plein vent. Tout la menace. Beaucoup d'Européens se sont fait de l'Amérique une idée malveillante et commode: quelques gratte-ciel, des piles de dollars, une grande brutalité de mœurs, pas de culture. Les hommes vivent ainsi sur des concepts simples et faux;

ils souffrent dès qu'un voyageur vient introduire, dans la belle simplicité de leurs connaissances, la complexe réalité.

— Quoi ! me dit-on, vous avez aimé ça ? . . . Mais c'est affreux, ce pays sans passé.

En vain j'explique qu'il a un passé, que les Anglais arrivés là au moment de l'émigration puritaine apportaient avec eux une tradition, que partout dans les bois, autour de Princeton, on m'a montré des souvenirs de guerre et même un petit cimetière quaker où les plus vieilles pierres . . .

Ils secouent la tête.

— Non, non, ce n'est pas l'Amérique que vous nous décrivez . . . Vous n'avez vu que des êtres d'exception.

Et ils me décrivent, eux, l'Amérique telle qu'ils l'ont imaginée sans la connaître; leurs idées se mêlent aux miennes, les déforment. Déjà, je ne sais plus. Comme dans nos souvenirs d'enfance la mémoire est formée par les récits de nos parents, par des photographies, par des tableaux, ainsi les souvenirs de voyage sont gâtés par la lecture. Est-ce moi qui ai vu ce pays ? Est-ce Keyserling ? Ou Siegfried ? Ou Romier ? Ou Luc Durtain ? Certaines images demeurent très nettes; je vois l'arrivée, les petits remorqueurs agiles de New-York qui se précipitent à toute vapeur sur le paquebot, insectes actifs et adroits, et le font tourner comme des fourmis entraînent le cadavre de quelque grand scarabée. J'entends la cloche de la locomotive qui traversait la gare de Trenton (New-Jersey). Je parle encore avec ce petit étudiant de Dartmouth, qui savait si bien le français et qui aimait tant la vie. Oui, ma collection d'images est intacte. Ce que j'ai peine à sauver, c'est la saveur du pays. Au moment où je l'ai quitté, le souvenir brillait, montait très haut dans une mémoire encore pure de toute image plus neuve. Depuis trois mois, mes amis soufflent, soufflent, et c'est en vain que, de mes mains 5 fermées, j'essaie de préserver un feu mourant qui déjà tremble et pâlit.

# DEUXIÈME PARTIE

## *Second Voyage aux États-Unis*

(MCMXXXI)

# I

## *Une Amérique Inattendue*

J'ai quelque part, en Europe, un vieil ami qui professe sur les États-Unis des idées violentes et précises. A la vérité, elles sont d'autant plus précises que mon ami n'a jamais traversé l'Atlantique. Ainsi, la détestable confusion des faits réels n'est-elle jamais venue troubler 5 la merveilleuse simplicité de son jugement, et il peut maudire de tout son cœur, sans remords, un pays qu'il n'a jamais vu et où il ne connaît personne.

L'an dernier, j'ai dû lui avouer que l'Université de Princeton m'avait offert, pour quelque mois, une chaire 10 de littérature française et que je désirais accepter cette offre. Il leva les bras au ciel:

« Mon enfant, me dit-il, ne faites pas cela ! Vous ne reviendrez pas vivant. Vous ne savez pas ce qu'est l'Amérique. C'est un pays où l'agitation est telle qu'on 15 ne vous laissera jamais une minute de loisir; un pays où le bruit est si constant que vous ne pourrez ni dormir ni même vous reposer; un pays où les hommes, à quarante ans, meurent d'excès de travail, et où les femmes dès le matin quittent leur maison pour participer à l'agitation 20 universelle. L'esprit, l'intelligence n'ont là-bas aucune valeur. La liberté de pensée n'existe pas. Les êtres humains n'y ont pas d'âme. Vous n'y entendrez parler que d'argent. Vous avez connu, depuis votre enfance, la douceur d'une civilisation spirituelle; vous allez trou- 25 ver une civilisation de salles de bain, de chauffage central, de frigidaires . . . Avez-vous lu, mon ami, la description des abattoirs de Chicago ? C'est une vision monstreuse, je vous assure, apocalyptique . . . Et ces récits dont les 5 journaux sont pleins, ces bandes de brigands qui assassinent en plein jour et dont les policiers eux-mêmes sont complices ? . . . En vérité, je suis terrifié pour vous. Vous avez une femme, des enfants . . . Je vous en prie, renoncez à ce voyage. »

10 Le lendemain, je m'embarquai.

J'ai, maintenant, vécu quatre mois à Princeton, New-Jersey, et voici la lettre que je viens d'écrire à mon vieil ami :

« J'ose à peine, cher monsieur, vous peindre l'Amérique 15 que je viens de découvrir. Vous ne me croirez pas, et, pourtant, ce que je vais vous dire n'est que la description exacte de ce que j'ai vu. Imaginez que j'habite, dans une jolie ville provinciale, une petite maison de bois, tout entourée d'arbres, couverte de lierre, et dont le jardin 20 n'est séparé des jardins voisins que par des haies bien taillées. Des écureuils gris, familiers, jouent sur mes fenêtres. Dans la rue, je vois passer quelques rares automobiles, beaucoup plus rares que dans une rue de Tours ou d'Avranches, et toutes les deux ou trois heures un 25 promeneur, qui est généralement un de mes voisins, professeur comme moi. La nuit, le silence est si profond que j'en suis parfois inquiet et que, lorsque je me réveille brusquement, je cherche dans le lointain le bruit des tramways de Paris.

30 « Si je sors de chez moi, d'un côté, je trouve un lac que bordent des saules et des érables ; de l'autre côté, la ville, qui se compose des bâtiments de l'Université, de

petites maisons semblables à la mienne, et d'une seule rue de commerçants. Là, le matin, on peut voir les femmes des professeurs faire leur marché, comme jadis dans les provinces françaises. Je crois que vous trouveriez une image assez fidèle de ce qu'est la vie dans cette 5 rue centrale en lisant certains romans de Balzac, qui se passent vers 1835, en Touraine ou en Poitou.

« Voilà pour le bruit et l'agitation. Quant à la vie sociale et intellectuelle, je suis navré de vous dire, cher monsieur, que le tableau que je contemple chaque jour 10 est, en cela aussi, tout à fait différent de celui que vous m'aviez tracé. Je parle beaucoup avec mes étudiants, avec mes collègues, avec leurs femmes. Oserai-je avouer qu'ils ont des âmes, et quelques-unes d'entre elles fort délicates ? . . . A quoi ressemblent nos conversations ? 15 C'est bien curieux, mais elles ressemblent prodigieusement à celles que je puis avoir à Paris, avec des amis intelligents. On y parle des mêmes choses et des mêmes livres. Marcel Proust, Balzac, Flaubert, Sinclair Lewis et André Siegfried jouent dans nos propos un grand rôle. 20 On y discute la situation de l'Europe, quelquefois avec ignorance, souvent avec sympathie; on y parle de l'Amérique, avec autant de liberté que vous-même.

« Pas une civilisation spirituelle, m'aviez-vous dit, mais une civilisation de salles de bain, de chauffage cen- 25 tral, de frigidaires . . . Hélas ! cher monsieur, vous n'avez pas de chance, et cela est même presque comique. Car, si j'avais un grief, un seul, contre cette maison, où je fus heureux, ce serait le manque de confort. Mon chauffage central américain est un vieux calorifère à air chaud, 30 d'un type qui n'existe plus en Europe nulle part, et qui semble doué d'un curieux esprit de contradiction, car il répand une chaleur intolérable par les jours brûlants où l'automne, dans ce pays, a l'air d'un printemps, et il fait concurrence au frigidaire dès que la température, au dehors, s'abaisse.

5 « Enfin, vous m'aviez menacé de brigands redoutables, de bandes organisées, d'une vie sans police et sans sécurité. Imaginez, cher monsieur, que ma maison n'est même pas entourée d'un mur, que ses fenêtres sont masquées par des stores qu'un bandit pourrait écarter 10 d'une chiquenaude, et que, lorsqu'il m'arrive de la quitter pour un voyage de deux ou trois jours, je n'en ferme pas la porte à clef, de façon à permettre au facteur de déposer dans l'antichambre mes lettres et mes paquets. Je lis bien, comme vous, dans les journaux, 15 de tragiques histoires, mais il faut se garder de prendre le drame pour la règle et la tragédie pour une peinture moyenne de l'existence. Je vous assure que l'Amérique n'est pas tout entière enrôlée parmi les *gangsters* et que peu d'hommes passent leurs moments de loisir dans les 20 abattoirs de Chicago.

« Évidemment, vous pourriez me dire que le contraire est vrai aussi, et que toute l'Amérique n'est pas Princeton. J'en conviens. Le tableau que Morand a peint de New-York est tout à fait exact et brillant. Mais la 25 vérité, voyez-vous, cher monsieur, c'est que le monde réel n'est pas fait de ces oppositions simples et brutales que souhaiteraient souvent nos passions. Burke, en 1793, parlant de la France aux Anglais, disait: « On ne peut condamner une nation tout entière. » Quand cette 30 nation est jeune et ne demande qu'à nous connaître mieux, ne vous semble-t-il pas plus humain et plus sage d'essayer de la comprendre que de la condamner ? » . . .

# II

## *Les Trois Fantômes de l'Amérique*

Je viens de passer quatre mois dans l'est de l'Amérique. Partout, dans les forêts d'automne, dans les plaines couvertes de neige, dans les rues de New-York ou de Boston, j'ai rencontré trois fantômes, si réels que je les prenais parfois pour des vivants. 5

* * *

Souvent, quand je me promenais à pied dans les campagnes américaines, j'avais peine à imaginer qu'un océan me séparait des paysages européens. Sur un bleu d'Ile-de-France, des nuages floconneux dessinaient un ciel de Corot, de Monet. Mais dès que l'œil rencontrait une 10 maison, l'illusion était dissipée. La maison américaine est toute chargée de saveurs exotiques et coloniales. Maison de bois, peinte en gris, presque blanche, elle évoque les films de Charlie Chaplin et les histoires de pionniers. A nos yeux accoutumés à mesurer la solidité de la brique, 15 de la pierre, ce bois paraît léger, provisoire. Erreur d'étranger: les bois d'ici sont durables et beaucoup de ces maisons anciennes.

Dans les cimetières de village, les pierres tombales les plus usées portent des dates vénérables. « Descendu 20 d'une vieille famille anglaise — Il abandonna les gloires du monde — Pour se préserver du péché — *Anno Domini* 1669. » A côté de Princeton, dans un cimetière quaker, les pierres sont nues. Pas même un nom. Aucun désir de protéger une mémoire terrestre, quand seul importe le salut. A l'entrée du cimetière, une chapelle de bois, et l'abri sous lequel ces fermiers dévots attachaient leurs chevaux pendant l'office. Décor ascétique, qu'il faut évoquer si l'on veut comprendre l'Amérique.

Les hommes qui, les premiers, abordèrent à ces rivages de la Nouvelle-Angleterre étaient des Puritains. Ils avaient quitté l'Europe parce que le puritanisme y était persécuté. Ils avaient fait ce dangereux voyage pour fonder la Cité de Dieu. Leur poésie venait de la Bible, leur morale de Calvin. Longtemps les ministres de la religion furent en même temps leurs chefs politiques. Ainsi se forma une race dure au travail, vertueuse, intolérante, capable de s'imposer les disciplines sévères qui devaient faire de ces forêts vierges, de ces déserts, un grand pays.

Cette race existe encore. Elle ne règne plus. Des influences diverses, le confort, l'immigration latine, ont miné le puritanisme. La « respectabilité » bourgeoise, le sentimentalisme et la pruderie ont estompé la rude et superbe vigueur de son langage. La science moderne l'a battu en brèche en tant que système du monde. A la théologie biblique a succédé une religion moderniste, et, chez certains, l'absence de toute religion. Une enquête faite l'an dernier dans un séminaire protestant a montré que 20 pour 100 seulement des futurs pasteurs croyaient à la damnation des infidèles, 8 pour 100 à l'inspiration littérale de la Bible. Le mot « péché » a presque disparu du vocabulaire d'un étudiant américain de 1931. C'est à peine si les prédicateurs, à New-York, osent l'employer. « L'omission du mot *péché* dans les sermons, écrit le

Révérend Docteur Shelton, président du *National Bible Institute*, est stupéfiante, si l'on considère que *péché* est un mot capital dans le vocabulaire de la Bible. » La prohibition, issue de la morale puritaine, a porté à celle-ci un coup mortel en faisant d'un vice une révolte. Une grande partie de l'Amérique est restée fidèle, par habitude, par goût, à une vie familiale et décente, mais un peu partout de jeunes groupes de rebelles ont voulu s'affranchir de la vieille loi. A l'hypocrisie du XIX^e siècle s'est opposé le cynisme de l'après-guerre. Les médecins psychiâtres, disciples de Freud, ont favorisé ce mouvement en fournissant au désir un vocabulaire qui permettait de tout dire et de triompher d'inhibitions antiques. Le divorce facile a fait du mariage une aventure légale. Les descendants des Puritains se sont essayés au difficile métier de libertin.

Ils ne l'ont pas aimé. Les plus francs, les meilleurs d'entre eux reconnaissent qu'ils n'y sont pas à leur aise. Ce n'est pas seulement sous les pierres des pelouses sépulcrales qu'errent, insatisfaits, les spectres des Pèlerins. Elles hantent, ces grandes âmes puritaines, des esprits qui se croyaient libérés.

C'est ce conflit qui fait de l'Américain de 1931 un être si intéressant. L'Amérique est à la poursuite d'une morale. Babbitt lui-même, à sa manière naïve, est un personnage en quête d'une doctrine. Dans les romans français que je lisais avec mes étudiants, bien plutôt qu'un sujet d'érudition, ils cherchaient une règle de vie. *Le Disciple* de Bourget les intéresse, parce qu'il pose le problème du libre arbitre. Au XIX^e siècle français ils préfèrent le XVII^e, parce qu'il apporte des cadres, des moralistes.

Car la génération qui a aujourd'hui vingt ans est toute différente de celle qui atteignit cet âge après la guerre. Alors on vit, comme dit l'écrivain américain Thomas Beer, une « production en série » de rebelles. Il fallait, chaque matin, détruire une Bastille. « Mais détruire une Bastille n'est pas bâtir une cité nouvelle . . . Quelle cité de l'esprit allons-nous bâtir ? » Les meilleurs des jeunes gens se le demandent.

Le Puritain de XVII^e^ siècle était une manière de héros. Mais les spectres des héros n'ont pas leurs vertus et ne peuvent qu'effrayer les vivants. Le spectre du Puritain a inspiré aux électeurs des États-Unis des lois sévères et futiles, destinées en apparence à arracher le « péché » du cœur de l'homme. Le spectre du Puritain a chargé la police de New-York et de Chicago de transformer des millions de pécheurs en saints. Or il est impossible de faire des conventions d'une communauté méthodiste les lois d'un grand pays. « Tôt ou tard, dit Walter Lippman, l'Amérique devra ramener son idéal législatif jusqu'au point où il coïncidera avec la nature humaine. » Elle ne pourra trouver son équilibre moral que lorsqu'elle aura enfin exorcisé le fantôme du Puritain.

* * *

Le voyageur qui traverse une plaine française, ou anglaise, reconnaît un pays où toute la surface de la terre est occupée par les hommes et l'a été depuis des siècles. Chaque village est chose achevée : on sent qu'il ne grandira plus guère, qu'il a sa forme, liée à la route, au chemin de fer, aux champs et aux prairies qui l'entourent. En Amérique, dès qu'il sort d'une grande ville, le Français se croit dans la brousse. A Princeton, petite ville pourtant ancienne, certaines rues s'arrêtent net à la lisière d'un désert. A l'asphalte d'une chaussée bien entretenue succède sans transition l'herbe jaune, jusqu'à l'horizon. Cette impression est plus forte encore dès que l'on s'éloigne de la côte. Plaines sans un être humain, lacs immenses que bordent de petites maisons de bois, armatures de villes plus dessinées que construites, où des affiches appellent les habitants, vallées rocheuses, déserts de neige, pays où la nature est encore maîtresse et qui vient de recevoir ses pionniers.

L'Amérique est semblable à un enfant précoce, dont l'adresse et l'audace ont fait oublier l'âge. Elle est semblable à ces adolescents, seuls héritiers d'une immense fortune, que les vieillards admettent à contre-cœur à la table du Conseil. Elle a la majorité des actions de la société Espèce Humaine, mais sa jeunesse est effrayante. C'est vers 1810 que les fermiers de la Nouvelle-Angleterre, souffrant des conséquences économiques des guerres napoléoniennes, vinrent abattre les forêts de l'Indiana, de l'Illinois, et y bâtir les premières cabanes. C'est en 1869 que deux étranges locomotives à chasse-neige se rencontrèrent au nord du lac Salé et que le *Pacific Railroad* rendit possible le développement du Far-West. C'est hier qu'en toute période de crise un Américain pouvait encore dire: « Je pars », et, après quelques jours de cheval, trouver des pays nouveaux, riches, inexploités, où la terre lui était donnée généreusement et où tout homme vigoureux était le bienvenu.

Pendant tout le XIX^e^ siècle, l'Américain type fut ce pionnier. Il acquit alors les traits de caractère qui sont propres aux fondateurs. Le pionnier est bienveillant, parce que l'homme pour lui est, non un concurrent, mais un associé dans la lutte contre la nature. Il est égalitaire, parce que la naissance ne compte pas dans la brousse. Il estime l'homme d'action et méprise le rêveur, parce que l'action incessante est nécessaire dans ces communautés encore fragiles. Il est chevaleresque, parce que les femmes sont rares, précieuses, et parce que, dans ce pays mal gardé, un respect religieux peut seul les protéger. Il s'occupe peu du gouvernement central et fait ses affaires lui-même; son sheriff rend en dernier ressort une justice sommaire et rude; sa milice exécute les sentences. Il est nomade, parce qu'il a constaté que le meilleur remède, en cas de malheur, est le départ. Il n'a pas des idées très sévères sur l'honnêteté politique, parce que le nomade, prêt à partir, ne craint pas, comme le sédentaire, les jugements de la horde locale. Enfin, il est optimiste, parce qu'il habite un pays qui ne l'a jamais trahi, et parce qu'il sait qu'un homme fort et hardi peut toujours réussir un peu plus loin.

Tel fut le « pionnier dans l'espace », l'homme de la frontière toujours mouvante, dont le chapeau aux larges bords, le cheval galopant et le long fusil animaient les films de 1912. Mais déjà il n'était plus alors, dans la véritable Amérique, qu'un héros de cinéma. Après l'Ouest, il avait pu coloniser le Far-West. Puis il avait atteint d'autres rivages. La fuite dans la forêt vierge, ce romantisme en action, devenait difficile. Depuis longtemps déjà, dans l'Est et dans le Middle-West, était né un type nouveau d'Américain; je l'appellerai le « pionnier dans le temps », car il cherchait ses terres libres et ses forêts vierges dans l'avenir. Par l'immigration et la naissance, la population des États-Unis augmentait rapidement. Toute spéculation (et une spéculation est toujours une anticipation) semblait garantie par l'accroissement de valeur du capital humain. Pour des inventions nouvelles il fallait créer des industries nouvelles. Le beau jeu de l'action pouvait continuer. Il y a quelques années, l'Espagnol Madariaga comparait l'Amérique à une immense *nursery* remplie des jouets les plus merveilleux. Quel était le père Noël gigantesque qui avait inventé le gratte-ciel ? Et quel était ce *boy* qui, à Détroit, avait eu l'idée admirable de donner à tous les autres *boys* une véritable voiture ? Pour le créateur d'industrie, pour le spéculateur, pour le banquier, la femme restait l'être lointain, à peine entrevu, que l'on peut adorer et défendre. Le pionnier dans le temps, jusqu'en 1929, fut aussi optimiste, individualiste, chevaleresque, puéril et généreux que l'avait été le pionnier dans l'espace.

Depuis deux ans, il semble que, dans cette autre dimension, l'Américain ait atteint une fois encore la frontière qui ne recule pas, les rivages de l'océan Surproduction. Plus que jamais il se sent prêt à agir, à créer, à produire. Mais il ne trouve plus de partenaires pour jouer dans ce beau jeu l'autre rôle, celui du consommateur. Aucun des *boys* ne veut plus « être le cheval ». Pour la première fois depuis que les vaisseaux des Pèlerins aperçurent les premiers signes d'une terre, les pionniers, étonnés, se demandent si le loisir ne va pas devenir un devoir. Il est difficile de dire si la crise actuelle montre vraiment qu'un point de saturation a été atteint et si, désormais, la prospérité américaine devra être statique plutôt que dynamique. Mais que ce soit en 1931 ou en 1950, ce moment viendra. Le pionnier, dans l'espace comme dans le temps, est une espèce condamnée par son propre succès.

On peut le regretter; il avait le charme et la maladresse du bonheur. Mais il est impossible de conserver, dans un pays arrivé à maturité, les traits de l'enfance. Il restera des pionniers dans quelques industries nouvelles, dans quelques territoires difficiles, mais la masse de la nation devra apprendre les coutumes du sédentaire. Déjà dans l'Est on voit disparaître l'optimisme primitif. La culture de l'esprit s'étend, et, comme partout, elle apporte avec elle le doute, qui est douloureux et sain. Le règne des femmes n'est pas fini, mais la facilité des mœurs, le goût plus vif des jeunes hommes pour la pensée, la concurrence économique entre les deux sexes, permettent d'en prévoir la fin prochaine. La femme américaine devra, comme l'européenne, apprendre d'autres méthodes pour rester puissante. Déjà elle s'y entraîne. « Mais les hommes ne vivent pas ainsi, me disaient mes élèves quand nous lisions ensemble *la Princesse de Clèves*... Les hommes ne perdent pas leur temps à discuter avec les femmes sur des nuances de sentiments... L'amour ne tient pas dans la vie une place si importante. — Attendez, leur répondais-je, votre XVIIe siècle est encore dans l'avenir... Vous en étiez, hier encore, au temps de Chrestien de Troyes et de l'amour chevaleresque... Vous verrez paraître, avec l'âge et les loisirs, votre Princesse de Clèves, votre Nouvelle Héloïse, votre Bovary. »

La période d'adaptation sera dure. Le pionnier, mis à la retraite par la réussite, ressemblera pendant quelques décades à ces officiers des armées de Napoléon que 1815 mit en demi-solde et qui rêvèrent toute leur vie à leur gloire passée. L'apprentissage des loisirs est difficile pour l'homme d'action. Mais le pionnier, comme le puritain, sera lentement exorcisé. *America comes of age.*

C'est le titre du livre de Siegfried, et l'image est juste. L'Amérique atteint sa majorité. Cette bruyante enfance est terminée.

* * *

Dans la plupart des groupes humains, on voit s'élever, au-dessus des autres hommes, des chefs ou nobles auxquels le peuple reconnaît certains privilèges, en échange de certains services. Au début, le rôle du noble est surtout celui du chef de guerre. Soit par son courage et sa force, soit par son habileté et sa ruse, il protège ses vassaux et les conduit à la victoire. Plus tard, le seigneur féodal maintient l'ordre à l'intérieur. Il garantit les gens de son domaine contre les attaques d'autres seigneurs; il entretient des juges et interdit à ses sujets les actes de violence.

Dès que l'ordre dans un pays devient naturel, le peuple, ingrat mais raisonnable, comprend que le seigneur offre désormais autant d'inconvénients que d'avantages. Il est une protection contre les autres seigneurs, oui, mais il trouve un plaisir un peu trop vif à ces combats vertueux. Très souvent c'est lui qui provoque les voisins et fait naître les occasions de conflit. Ajoutez qu'il coûte cher; que ses descendants, qui lui succèdent, n'ont généralement ni la force ni la prudence de l'ancêtre, que les luttes de château à château mettent en danger les petites gens: avec les siècles, le désir naît de se débarrasser de lui. Dès que le progrès des armes a rendu son château et son armure vulnérables, les masses se groupent autour d'un gouvernement central, et c'est la fin des grands féodaux. Ils ont été utiles; ils ont cessé de l'être; ils sont condamnés. Telle fut l'histoire de la

France; telle sera l'histoire de l'Amérique, qui en est encore, par de nombreux aspects, à la période féodale.

Un des traits qui frappent le plus un Français en Amérique, c'est l'absence de gouvernement central. Le
5 gouvernement de Washington n'a rien de commun avec cette source unique de pouvoir qu'est le gouvernement de Paris, tel qu'il fut légué à la République par ces deux grands centralisateurs: Louis XIV et Napoléon. Certains des organes les plus importants d'un gouvernement
10 européen n'existent pas du tout en Amérique. Par exemple, on n'y trouve pas de ministre de l'instruction publique. « Comment ? diront les Américains. Mais il y en a un dans chaque État. » C'est vrai, mais cette multiplicité rend impossible toute unité de programme
15 d'enseignement. D'ailleurs, même dans chaque État, ce ministre n'est pas le maître des meilleures Universités, qui sont des institutions privées. Président, grands partis, gouverneurs d'États, sénateurs, tous ces pouvoirs aux États-Unis dépendent en dernière analyse de ce
20 qu'on appelait, dans la France de Louis XI, les grands vassaux.

Ces grands féodaux sont, en Amérique, des seigneurs de l'argent. Ils appartiennent à des noblesses d'origines diverses. Les uns ont grandi légalement, au moins en
25 apparence. Ce sont les seigneurs de la banque, de l'industrie et du commerce. Ils ont, avec le Puritain et le Pionnier, fait ce grand pays; beaucoup de leurs familles forment une aristocratie très semblable à celle des monarchies européennes. Un grand seigneur américain
30 se nomme John B. Smith VII; dans deux cents ans, son arrière-petit-neveu sera John B. Smith XXIII, si la dynastie des Smith peut durer. Ils ont des mœurs toutes

semblables, *mutatis mutandis*, à celles des seigneurs du moyen âge. Ils aiment les combats, banque contre banque, trust contre trust, baisse contre baisse. Dans une époque industrielle, un tournoi ne peut être qu'économique. Ils sont courtois, amicaux, et, après avoir rompu des lances dans les champs clos de Wall Street, ils se retrouvent le soir à dîner, au milieu des dames, dans les donjons de Park Avenue. Leurs semblables, au moyen âge, dotaient des monastères; ils dotent, eux, des Universités et imposent à l'abbé de l'Université des prières pour le fondateur, tout comme Henry d'Angleterre ou le Français Dagobert.

Ce type de féodalité de l'argent existe encore en Europe, bien qu'il y soit plus combattu qu'aux États-Unis par des partis politiques moins soumis et par une bureaucratie plus organisée. Mais à côté de la noblesse d'argent grandit en Amérique une noblesse d'aventure, qui a, elle, presque entièrement disparu en Europe. Tels les Italiens dans la politique française au XVI^e^ siècle, les Irlandais de Tammany, les grands électeurs démocrates ou républicains se sont fait une place parmi les forces du pays. Les marchands clandestins d'alcool jouent dans la formation de cette classe le rôle des pirates et des nomades pillards qui furent à l'origine de la noblesse normande. Le *racketeer* de Chicago est un féodal. Il menace les commerçants, il obtient d'eux un tribut annuel: il leur donne en échange sa protection contre les autres bandits. « Il vend la paix », dit un écrivain américain; c'est exactement ce que vendaient aussi nos seigneurs.

Pourquoi cette féodalité belliqueuse garde-t-elle en Amérique un pouvoir et un prestige qu'elle a depuis longtemps perdu chez nous ? Comment le public américain tolère-t-il avec amusement des tournois si dangereux pour les spectateurs ? Ce sont des questions que le voyageur européen se pose avec surprise. Par exemple, il est étonné de lire dans les journaux qu'après un cambriolage à main armée, dans une des rues les plus animées de New-York et en plein jour, les bandits ont pu s'enfuir en automobile, sous les yeux d'une foule indifférente. Si un comité de citoyens d'une grande ville est convoqué pour arrêter la « vague de crime », l'Européen est stupéfait de constater qu'une si nécessaire croisade n'éveille aucun enthousiasme. Plus tard, quand il connaît un peu mieux le pays, il comprend que l'idée d'un pouvoir central, l'État, étant infiniment moins forte en Amérique qu'en Europe, ces duels de chefs de bande sont jugés par l'homme de la rue comme ceux d'un Montmorency par les Français d'avant Richelieu. Quant aux commerçants « corvéables à merci », semblables en cela aux serfs du moyen âge, ils aiment encore mieux attendre une paix relative de la mansuétude d'Al Capone que d'une police impuissante.

Mais les citoyens se lasseront de ces jeux bruyants et dangereux.

Quant à la féodalité économique, je crois qu'elle est, elle aussi, destinée à reconnaître un pouvoir central plus fort. La machine économique est devenue trop complexe pour qu'elle puisse être abandonnée aux querelles privées. En un temps où une invention scientifique peut, en quelques mois, priver de leur métier des milliers de travailleurs, il est nécessaire qu'un pouvoir fort puisse en surveiller l'application. En un temps où l'argent des petites gens est placé dans les grandes entreprises, il est nécessaire qu'un contrôle sévère soit exercé par les représentants des épargnants. Les États-Unis, comme l'Europe, mais plus lentement, seront amenés, qu'ils le veuillent ou non, à renforcer le pouvoir central. Seulement, comme les Américains ont le goût des formules neuves et le courage de les appliquer, je ne serais pas surpris de les voir inventer une forme nouvelle d'État, où de grandes organisations de travailleurs, de producteurs et de consommateurs régleront la vie économique du pays en dehors du Parlement politique. Tel était, je crois, aussi l'avis de Keyserling. Mais, quelle que soit la forme de ce pouvoir central de l'avenir, le féodal, comme le puritain et le pionnier, devra se transformer ou disparaître.

* * *

Le puritain, le pionnier et le féodal sont des spectres, parce que leur espèce ne peut s'acclimater dans le monde tel qu'il devient. Comme tous les fantômes, ils ont et ils auront longtemps encore une existence réelle dans l'âme des vivants.

C'est après la mort des êtres que nous comprenons le rôle immense qu'ils ont joué dans notre vie. Je ne me plains pas de la présence occulte des trois fantômes. Elle met, dans l'atmosphère américaine, la gêne et le mystère qui ajoutent au présent le poids et la solidité du passé. Mais leurs images vont s'effaçant. « Quelle cité de l'avenir allons-nous créer ? » demande le jeune Américain. Nul ne peut le prédire, mais dans cette cité, dont les hommes de 1931 seront à leur tour les fantômes, il n'y aura certainement pas de place pour les trois spectres déjà pâlissants de l'Amérique d'avant-guerre.

# III

## *Étudiants Américains et Romans Français*

Je voudrais essayer de donner une image véritable des conversations que peut avoir un professeur français avec des étudiants américains. A Princeton, ces conversations sont fréquentes, et elles sont même obligatoires. Sans
5 doute, comme chez nous, le professeur fait des cours pendant lesquels les élèves prennent des notes, mais dans les intervalles de ces cours les étudiants viennent chez lui, par groupes de six ou sept, pour des entretiens plus intimes, que l'on appelle des « préceptoriaux ». Là le but
10 poursuivi est moins de continuer le cours que de faire parler les jeunes gens eux-mêmes, de s'assurer qu'ils ont lu les livres du programme et de les habituer à exprimer leurs propres idées.

Imaginez donc, par un jour d'automne éclatant (au
15 dehors les érables et les sycomores forment une gamme merveilleuse de rouge, de brique, de cuivre et de safran), imaginez le professeur novice qui, dans le minuscule salon de sa maisonnette de bois, attend son premier « préceptorial ». Il n'est pas sans anxiété. Parleront-
20 ils ? Sauront-ils assez bien le français pour suivre la conversation et pour y prendre part ? Il les a priés de lire *la Princesse de Clèves*. Auront-ils compris ces amants chevaleresques, si jaloux de leur honneur, si sensibles aux

nuances de sentiments ? Il relit les premières pages du roman . . . Coup de sonnette.

Ils sont venus en groupe, sans chapeau (seuls les élèves de première année portent une casquette noire); ils ont l'air d'une meute de jeunes chiens, vigoureux et gais, animés par ce soleil. Ils me donnent leurs noms. J'essaie de les retenir. P—— est un garçon du Middle-West, doué d'un accent américain terrible. A——, vif, charmant, rebelle, me fait penser à un pur sang qui tire toujours sur les rênes. Mac—— est un New-Yorkais en maillot noir. M—— a une tête d'intellectuel, très fine. R—— est Anglais. B——, blond, très frêle, merveilleusement habillé de flanelle pâle, a longtemps vécu à Paris.

Je vois tout de suite que je n'aurai aucune difficulté à engager la conversation; familiers et respectueux, ils sont à leur aise.

— Je voudrais, dis-je, que vous parliez les premiers . . . Mr. Mac——, avez-vous aimé *la Princesse de Clèves ?*

— Moitié, moitié, dit-il . . . Je trouve ça bien écrit, mais les personnages enfantins . . . D'abord on ne meurt pas d'amour . . .

— En êtes-vous certain ?

— Je ne l'ai jamais vu, monsieur . . . Ni entendu . . . J'ai peut-être tort, mais la vie me paraît tellement plus simple que ces gens ne veulent la faire ! . . .

— Oui, dit P—— . . . Les hommes du passé étaient bizarres; ils mettaient du tragique partout . . . Ce matin nous lisions *Phèdre* avec M. Coindreau, et je lui disais: « Mais pourquoi Phèdre fait-elle tant d'histoires ? « Moi, j'ai un ami à Chicago qui est devenu amoureux de « sa belle-mère . . . Il l'a dit à son père . . . Le père a « demandé à la femme si elle aimait, elle aussi, mon ami.

« Elle a dit qu'elle l'aimait. Le père a divorcé et mon ami « a épousé sa belle-mère ... » Est-ce que ce n'est pas mieux ? Si Phèdre était raisonnable, au lieu de pleurer: « Ah ! que ne suis-je assise à l'ombre des forêts ! » elle aurait une conversation sérieuse avec Thésée et elle épouserait Hippolyte ... Vous ne trouvez pas, monsieur ?

— Vous oubliez que Racine ne connaissait pas le divorce et que Thésée aimait peut-être Phèdre ... Non, je ne suis pas de votre avis, Mr. P——. Moi, je trouve que la vie est très difficile et les conflits de passions parfois sans remède.

— Mais justement, monsieur, dit A——, avec feu, moi, ce qui me surprend dans *la Princesse de Clèves*, c'est la facilité avec laquelle tous ces hommes qui disent aimer madame de Clèves s'effacent devant monsieur de Nemours ... Pourquoi ? Des hommes réels ne feraient pas cela.

Je lui explique ce qu'était l'idéal du chevalier.

— Au fond, dit l'Anglais R——, ce que vous appelez le chevalier, c'est le gentleman ... Monsieur de Clèves se conduit en gentleman.

— Monsieur, dit P——, est-ce que vraiment ces gens du XVIIe siècle vivaient ainsi et passaient leur temps « chez les reines », à raconter des histoires d'amour ? Ils n'avaient donc rien à faire ?

— Ils avaient, en effet, très peu à faire. Il faut comprendre que le XVIIe siècle est le temps où la noblesse française, jusque-là belliqueuse et puissante, a été pliée à la vie de cour par un pouvoir royal plus fort qu'elle. Ces grands caractères, ainsi mis à la retraite, avaient besoin d'occuper leurs loisirs. Il était nécessaire qu'ils fussent domptés. D'où les Précieuses, l'Hôtel de Rambouillet et, plus tard, ces analyses de sentiments qui vous étonnent. Vous passerez bientôt par là, vous Américains, quand votre Louis XIV (qui s'appelle Surproduction) vous aura imposé, malgré vous, le repos. 5

Ils rient. La conversation continue longtemps, très animée, et me les montre tous, sauf A—— qui est romantique, et M—— qui est spinoziste, hostiles à l'amour-passion. Je leur donne à lire, pour la prochaine fois, *Candide*. Je crois qu'ils l'aimeront. 10

— Monsieur, me dit B—— en sortant, est-ce que *la Princesse de Clèves* n'a pas inspiré *le Bal du Comte d'Orgel* de Radiguet ?

— Oui. Vous l'avez lu ?

— Naturellement, me dit-il . . . Radiguet était un ami 15 de Cocteau, et je lis tout ce qu'écrit Cocteau.

* * *

*Deuxième semaine.* — Eh bien, dis-je, *Candide* a-t-il eu du succès ?

— Beaucoup, dit A——. C'est très amusant, mais Candide est trop bête . . . Ses malheurs ne lui apprennent 20 jamais rien.

— Comment ? dis-je. Et la fin ?

— Oui, à la fin il comprend qu'il faut cultiver son jardin, mais il le comprend trop tard.

— Monsieur, dit R——, que veut dire exactement: 25 « Il faut cultiver notre jardin » ?

— Que croyez-vous ?

— Ce n'est pas compliqué, dit A——; cela veut dire: Occupons-nous le moins possible des hommes, qui sont méchants, des grandeurs, qui sont dangereuses, et vivons 30 tranquilles en travaillant... comme Voltaire lui-même à Ferney.

— Oui, dit l'Anglais R——, mais cela peut vouloir dire aussi: « Cultivons notre jardin intérieur, notre esprit. »

5 — Et même, dit M——, cela peut avoir un sens plus vaste. « Cultivons cette planète qui est notre jardin; « faisons faire des progrès aux sciences humaines et ne « nous occupons pas de l'Univers, qui est absurde. »

— Bien, dis-je. Prenons le premier sens. Trouvez-10 vous que ce soit une sage philosophie de la vie que de ne plus s'occuper des autres hommes, de se guérir de toute ambition et de s'enfermer dans son jardin intérieur ?

— C'est peut-être une sagesse de vieillard, dit A—— avec mépris, mais moi, si j'étais Candide, je m'ennuierais 15 dans mon jardin et je retournerais voir le monde, avec ses tremblements de terre, ses crises commerciales, ses inquisiteurs et son *excitement*.

— Alors vous pensez, comme Martin, que l'homme est condamné à passer des convulsions de l'inquiétude à la 20 léthargie de l'ennui ?

— Oui, monsieur... Je préfère l'inquiétude...

— Moi, Martin me plaît, dit Mac——; il est très intelligent... Il dit qu'il faut travailler sans trop raisonner... C'est la vérité.

25 — Pas du tout ! dit R——... Moi, je crois qu'il faut penser pour bien cultiver notre jardin. Il faut avoir une certaine idée du monde et la cultiver en vue de son harmonie avec un tout... Un jardin isolé du reste du monde ça n'existe pas.

30 — Je suis de votre avis, dis-je... Martin et Pangloss ont tort l'un et l'autre... Ce monde n'est ni le meilleur ni le plus mauvais de tous les mondes possibles; il est

le seul, et il nous faut l'étudier de notre mieux pour y rendre un peu moins malheureuses les sociétés humaines qui l'habitent.

— Mais, monsieur, dit A——, croyez-vous qu'on puisse les rendre moins malheureuses ? Le monde est-il meilleur maintenant qu'au temps de Voltaire ?

— Je vous le demande . . .

— Non, moi, je ne le crois pas, dit-il. Il y a moins de cruauté visible, mais il y a plus de cruauté cachée . . . La dernière guerre a été plus affreuse que celle des Bulgares et des Arabes dans *Candide* . . . La chaise électrique est plus affreuse que la guillotine . . . Nos polices sont très barbares.

— Et nos progrès matériels: automobiles, téléphone, médecine ? Ne vous semble-t-il pas qu'ils ont été immenses depuis Voltaire ?

Je suis curieux, sur ce sujet, de connaître la réaction de mes jeunes Américains. A ma grande surprise, à l'exception de Mac——, toute la classe prend parti contre le confort.

— Les voitures et le téléphone n'ajoutent rien au bonheur, disent-ils.

— Comment ? dit Mac—— . . . Au temps de Voltaire, il fallait monter les escaliers à pied; maintenant nous avons des ascenseurs. Or l'homme est un animal paresseux, donc l'ascenseur ajoute à son bonheur.

— Au temps où il n'y avait pas d'ascenseurs, dit A——, il n'y avait pas non plus d'étages.

— Monsieur, dit, de sa voix nasale, le jeune P—— qui jusqu'alors a écouté en silence, si Candide avait gardé un seul de ses moutons de l'Eldorado, qui étaient chargés d'or et de pierreries, il aurait évité tous ses ennuis.

* * *

Ainsi passe l'hiver... Flaubert... Zola... Bourget... France... Proust... André Gide... Le dernier jour. Je regarde avec tristesse cette maisonnette pleine de malles et que je ne reverrai plus. Coups de sonnette. L'un après l'autre, de quart d'heure en quart d'heure, je vois venir mes étudiants. Les uns veulent seulement me faire leurs adieux, les autres me consultera sur leurs thèses. B—— veut écrire sur Proust et la psychologie freudienne, P—— sur Balzac et les affaires, M—— sur la jeunesse de Stendhal, A—— sur Flaubert, Proust, et l'objectivité des sentiments. En parlant avec eux, je me résume à moi-même mes impressions. Intelligents ? Oui, très intelligents. Culture littéraire ? A peu près égale à celle d'un Européen du même âge; peut-être même ont-ils lu davantage. Mais ils manquent presque complètement de culture historique, et surtout, sauf M——, ils n'ont aucune idée de ce que peuvent être la construction et le plan d'un travail. Cette indifférence à l'ordre logique des pensées est un trait anglo-saxon. Je la trouve plus profonde encore chez ces Américains que chez des Anglais. Tout est sauvé par la jeunesse, la fraîcheur du regard, la nouveauté des images, des mots. Pays de poésie naissante, de renaissance. Leur âge classique viendra plus tard.

Le lendemain, à New-York, dans ma cabine, je trouve une grande gerbe de roses blanches. Une carte: c'est celle d'A——.

# IV

## *Collèges et Jeunes Filles*

Imaginez une ville de jeunes filles. Tantôt, par groupes de quinze ou de vingt, elles habitent des maisons séparées; tantôt elles ont, dans de grands bâtiments, une chambre qu'elles meublent à leur gré et un salon qu'elles partagent avec une camarade. Au centre de la plaine gazonnée (que l'on appelle le *campus*) sont leurs bâtiments de travail: les salles de classe, les laboratoires, les ateliers de dessin, le théâtre, l'observatoire, les serres, les jardins, les terrains de sport, souvent un lac ou une rivière. Là vivent de trois cents à deux mille jeunes filles, de dix-huit à vingt-deux ans, appartenant à des classes diverses de la société américaine, mais toutes assez cultivées, puisqu'elles ont passé l'examen d'entrée, qui n'est pas facile.

Dans les meilleurs de ces collèges l'ardeur intellectuelle est charmante. Je me souviens avec un vrai bonheur de soirées de discussion où un groupe de filles ravissantes, assises en tapis multicolore sur le plancher, me posaient des questions presque toujours intelligentes sur les écrivains français contemporains, ou sur la politique de l'Europe. Ces étudiantes ont une grande liberté pour le choix de leurs cours. Elles doivent en suivre un nombre fixe, mais elles composent elles-mêmes leur programme. L'une de mes auditrices avait choisi: Littérature française au XIX$^{e}$ siècle, religions comparées, histoire d'Angleterre, géographie humaine, histoire de la musique. Pour la plupart d'entre elles, il s'agit beaucoup moins, au collège, de se préparer à une carrière que d'acquérir une culture générale.

Aucun pédantisme. Les plus instruites ont un grand sens de l'humour. Chaque collège publie un journal, entièrement rédigé par les élèves, et il est souvent fort amusant. Elles savent très bien se moquer d'elles-mêmes. Je note, dans le journal de Vassar, parmi des *Phrases entendues sur le « campus »*, la ligne suivante: « Ma chère, je ne crois plus à l'éternité depuis que je suis le cours d'hygiène », qui est une amusante satire d'une partie de la jeunesse américaine de 1931. Un peu plus loin, je lis: « *Ce que je compte faire pendant mes vacances de Noël:* 1° entendre deux concerts (Beethoven si possible); 2° aller au musée, prendre des notes et écrire ma thèse sur les primitifs italiens; 3° taper ma thèse; 4° lire deux romans d'Anatole France et en écrire une critique pour Mlle. D——; 5° taper ma critique; 6° apprendre à connaître ma famille; 7° dormir. »

Mais, dans ce même journal, on trouve des articles sérieux. Je citerai quelques phrases (il faut penser qu'elles sont écrites par une jeune fille de vingt ans): « Nous vivons en un temps où l'on peut prévoir de grands changements dans la civilisation. Le collège doit nous équiper en vue de ces changements. C'est notre génération qui va probablement porter le poids des années difficiles. A nous d'essayer de faire mieux que la génération qui nous a précédées. Si nous devons réussir à assimiler la machine et à rendre la guerre impossible, nous aurons besoin pour cela d'une sagesse qui semble lui avoir manqué. Nous devons nous attacher, non pas tellement à *agir* qu'à *être*. Ceux qui nous ont précédés ont agi, et l'action s'est montrée insuffisante. »

Aussi le goût des idées est-il vif. On entend des discussions passionnées sur l'existence de Dieu, sur la musique française moderne, sur la Ligue des nations, sur *Hamlet*. Au théâtre, où les élèves font elles-mêmes décors et costumes, elles jouent du Pirandello, du Tchékhov. Elles aiment sincèrement la musique, et à Vassar, le dimanche au crépuscule, vont à la chapelle entendre les orgues dans l'obscurité. Il est impossible de ne pas remarquer le rôle de premier plan que joue, dans beaucoup de ces collèges, la culture française. Dans plusieurs d'entre eux les jeunes filles ont le droit de passer leur troisième année en France et suivent des cours à la Sorbonne ou à Nancy. Il semble que le français tende, aux États-Unis, à devenir une langue classique.

Naturellement, les jeunes hommes tiennent la première place dans les préoccupations de ces jeunes filles.

— De quoi parlez-vous le plus ?

— Des hommes.

Le bureau de poste de l'école est, à l'heure du courrier, assiégé par une foule de jeunes bacchantes. Beaucoup de ces jeunes filles sont fiancées dès leur seconde année de collège. Quelques-unes se préparent à une carrière, mais c'est une minorité. A la plupart, le mariage apparaît comme la carrière normale de la femme.

Feront-elles de bonnes épouses ? J'ai entendu, sur ce sujet, soutenir deux thèses. La jeune fille qui a terminé ses études à dix-huit ans et commencé sa vie mondaine, à New-York ou à Washington, parle avec dédain de la « college girl » et dit « qu'elle ennuiera les hommes ». Ce n'est pas mon avis. Au collège, les jeunes filles apprennent la vie en commun. Une femme cultivée est une compagne plus agréable. Elle peut partager réellement les travaux de son mari. Si même elle ne le fait pas, elle est prête au moins à les comprendre. Je me souviens de la 5 phrase charmante que me disait un jour une jeune femme américaine qui avait, elle, été élevée au collège: « Deux êtres humains vivent presque toujours dans deux îles, et l'on ne peut jamais aborder dans l'île de l'autre. Mais c'est déjà quelque chose que d'avoir une île à soi. Cela 10 permet d'imaginer le bonheur que l'autre trouve dans la sienne. »

# V

## *Comportement des Américains en Temps de Crise*

Mes deux voyages m'ont donné l'occasion d'observer la conduite du peuple américain en temps de prospérité et en temps de crise. J'ai trouvé les différences assez remarquables pour qu'il soit intéressant de les noter et d'en tirer, s'il est possible, quelques lois générales sur 5 la conduite économique des foules.

Le premier trait qui, en Amérique, frappait un étranger avant la crise, c'était une extraordinaire *confiance en l'avenir*. Presque tous les Américains que l'on rencontrait avaient, au cours des années 1922–1928, réussi dans 10 ce qu'ils avaient entrepris. S'ils étaient industriels ou commerçants, ils vous citaient les chiffres de leur production, qui souvent avait doublé, triplé. S'ils étaient ouvriers, employés, leur salaire ou leur traitement avait augmenté. Si même ils étaient romanciers, la vente de 15 leurs livres atteignait des chiffres qui, à un Européen, semblaient astronomiques. Tous, ou presque tous, spéculaient, avaient « un ami qui leur avait indiqué une valeur ». Cette valeur avait monté, toutes les valeurs avaient monté, et ils allaient faire, l'été suivant, un 20 voyage en Europe. La vie était belle.

*Quand toute une horde humaine éprouve avec force un optimisme de ce genre, le membre isolé de la horde qui essaie*

*de combattre l'optimisme est considéré comme un traître.* C'est naturel. L'optimisme est un sentiment agréable. Il l'était d'autant plus dans le cas de l'Amérique qu'il s'étendait aux classes populaires, de sorte que les riches
5 s'y pouvaient abandonner sans remords et sans inquiétude. Si quelques sages voulaient rappeler des lois économiques trop évidentes, montrer que les prix atteints étaient tels que tout le crédit du monde ne les pourrait soutenir, évoquer le souvenir de crises antérieures,
10 le public s'indignait: « Tout était changé; on entrait dans une ère nouvelle; les hauts salaires joints à la « production en série » allaient permettre à l'homme d'escalader les cieux de la prospérité. » Parler de prudence, de réflexion, était une trahison. Si la pensée con-
15 duisait au doute, penser était criminel. En ce temps-là, dans les collèges, l'homme qui réfléchissait était tenu pour dangereux par l'étudiant moyen. Les sports régnaient en maîtres absolus, parce que le sport détourne de penser. La volonté d'optimisme ne souffrait pas de contradiction.

20 La conséquence heureuse de cet optimisme était une grande et universelle *générosité.* J'avais alors observé dans les petites villes des « souscriptions de bienfaisance ». On donnait non seulement avec bonté, mais presque avec volupté. Il y avait une sorte de plaisir puissant à jeter
25 loin de soi une partie de cet argent dont le flot montait autour de chaque Américain plus vite que celui-ci ne pouvait le dépenser. Universités, hôpitaux, reconstruction de villes européennes, tout avait sa part de ces largesses. Dépenser était le grand jeu national. On
30 cherchait des objets nouveaux pour avoir l'occasion d'acheter. C'était le temps où les industriels créaient dans le public le « désir de voiture », le « désir de radio ».

Il n'était pas bien difficile de les créer. Les hommes alors ne souhaitaient qu'une chance: désirer. L'« excitation » *publicité* produisait automatiquement la « réaction » *achat*. Comme le pessimisme, l'économie eût été considérée comme un crime. 5

Naturellement *les hommes d'État et les hommes d'affaires qui avaient la chance d'être au pouvoir à ce moment avaient le bénéfice de la popularité qui s'attache toujours au succès.* Un général vainqueur est un général qui est présent le jour d'une grande victoire. « L'amour, dit Spinoza, est 10 la joie accompagnée de l'idée d'une cause extérieure. » Quand un peuple se sent heureux, il aime ceux qui le conduisent. Calvin Coolidge fut le stratège aimé des dieux de cette bataille sans adversaires. Les prophètes de Wall Street connurent alors un respect presque re- 15 ligieux. Ils annonçaient la hausse et la hausse arrivait. Ils étaient donc de vrais prophètes. C'était le temps où tout homme qui disait au peuple américain: « Nous avons plus de locomotives, plus d'automobiles et plus de frigidaires par tête d'habitant qu'aucun des peuples de la 20 terre », était acclamé. Je me souviens que j'entendis alors un prédicateur lire en chaire des statistiques de production pour prouver la bienveillance du Ciel.

*Un peuple prospère ne souhaite jamais l'intervention de l'État dans les affaires privées.* L'Amérique était, au 25 temps de mon premier voyage, le pays le moins socialiste du monde. Pas de lois sur le chômage comme en Angleterre ou en Allemagne. Pas de statut des fonctionnaires, pas de retraites ouvrières comme en France. L'individu réussissait trop bien pour qu'il fût nécessaire de le pro- 30 téger. S'il avait des craintes pour l'avenir, d'innombrables et solides compagnies d'assurances étaient prêtes à traiter avec lui. Keyserling, écrivant alors sur les États-Unis, devait forger un mot: « privatisme », pour exprimer l'extrême individualisme économique de l'Américain de 1928.

5 *Cette prospérité engendrait des sentiments d'indifférence et parfois de mépris à l'égard de l'Europe.* Indifférence, parce que la prospérité américaine paraissait indépendante de la prospérité européenne. Mépris, parce que l'Europe semblait incapable de comprendre les vérités 10 élémentaires qui avaient donné à l'Amérique le bonheur. Pourquoi ne supprimait-elle pas ses absurdes petites frontières ? Pourquoi ne pratiquait-elle pas la politique des hauts salaires ?

Enfin le voyageur découvrait alors en Amérique un 15 *petit groupe de rebelles*, assez malheureux, qui essayaient en vain de réagir contre l'optimisme de la horde. La horde les traitait fort mal, et, comme il arrive toujours, la répression les rendait plus violents. On les voyait dans les collèges, opposant leurs cols largement ouverts, 20 à la mode de Shelley ou de Byron, à la tenue plus stricte des conformistes. Toute pensée prenait forme de défi. L'opposition était âpre, satirique plutôt que constructive. Les mœurs étaient libres, mais sans liberté profonde, je veux dire sans ce réalisme spontané, naturel, que l'on 25 observe par exemple chez les héros de Stendhal. Les actions étaient hardies, mais les cœurs demeuraient puritains.

Telle était à peu près la conduite de l'Homo Americanus, telle que pouvait l'observer un naturaliste étranger 30 parcourant vers 1927 la partie est de ce continent.

* * *

Si le même naturaliste revient à New-York en 1931, s'il regarde agir les « sujets » qu'il a étudiés quatre ans plus tôt et s'il écoute leurs propos, il est surpris de constater à quel point la crise les a transformés.

Je commencerai par une observation tout à fait extérieure. Je m'étais promené, aux environs de Noël 1927, dans les magasins de New-York; j'y suis retourné en décembre 1931. La différence était presque incroyable. Telle grande librairie, où en 1927 il était impossible de trouver un vendeur, était en 1931 à peu près vide. Tel mari, que j'avais vu offrir à sa femme pour Noël 1927 un admirable bijou, lui apportait un petit objet sans valeur qu'il n'eût pas osé lui montrer quatre ans plus tôt. Telle famille, qui, je le savais, venait à Paris tous les hivers, cette année, par économie, supprimait le voyage.

Or, et c'est pour en arriver à un point très important de comportement en temps de crise que je me suis permis ces observations banales, la plupart des êtres dont j'examinais ainsi les actions transformées *n'avaient aucun besoin réel de faire ces économies.* Beaucoup n'avaient rien perdu. Tous ou presque tous restaient, malgré les pertes subies, des êtres extrêmement riches, beaucoup plus riches que la plupart des Européens. Pourquoi hésitaient-ils à faire une dépense de dix dollars, de cent dollars, qui, pour eux, n'était rien ? Pour deux raisons.

La première, c'est que leur confiance dans l'avenir avait été atteinte. *La crise a ruiné, au moins pour un temps, l'optimisme américain.* Avant la crise il était facile d'éveiller, par une excitation appropriée, le désir d'achat chez un Américain. Maintenant il est nécessaire que l'excitation soit beaucoup plus forte pour obtenir la même réaction. En revanche un désir nouveau est né, qui était absolument inconnu en Amérique, c'est le *désir de sécurité.* « Chat échaudé craint l'eau froide. » Un homme qui a perdu sa fortune par un mauvais placement a peur de *tous* les placements. En 1927, mes chauffeurs de taxi américains me parlaient toujours de l'argent qu'ils allaient dépenser. L'un d'eux m'avait dit: « Je veux aller à Paris, mais j'attends pour cela d'avoir trois mille dollars, parce que je veux voyager en première classe. » En 1931, il me parlait avec horreur de la faillite de la Bank of the United States, et avec un très vif intérêt des Banques d'épargne bien contrôlées par l'État. S'il existe encore une chose qui soit facile à vendre au peuple des États-Unis en ce moment, c'est la sécurité. Mais la sécurité, en 1931, est le plus rare des produits.

Pourquoi la thésaurisation chez les riches, qui n'ont, eux, aucune inquiétude réelle sur la sécurité de leur avenir ? *Parce que, quand toute une horde humaine éprouve avec force un sentiment de pessimisme ou de malaise, le membre isolé de la horde qui affiche son bonheur est considéré comme un traître.* De même qu'en Europe, pendant la guerre, les familles qui avaient perdu un de leurs membres ou qui craignaient de le perdre voyaient avec un sentiment tout naturel d'irritation la tranquillité de ceux qu'on appelait alors les embusqués, la masse américaine, atteinte par la crise, ne peut avoir de sympathie pour celui qui n'en a pas éprouvé les effets. L'animal humain est très sensible à ces sentiments de la horde et il y réagit très vite. La qualité que l'on appelle le tact n'est que cette perception rapide, et sans échange de paroles, des sentiments cachés des autres hommes. C'est par tact, par pudeur et par une instinctive prudence que les plus riches aujourd'hui affectent la gêne. Il y a plaisir à souffrir avec la horde, et honte au contraire à être heureux sans elle.

*La crise a rendu sa valeur à l'intelligence.* On a constaté qu'il ne suffisait pas d'être « un bon garçon » pour mener de grandes affaires. On a commencé à examiner avec 5 sévérité des réputations et des affirmations qui, en temps de prospérité, étaient acceptées comme évidentes. Quand les prophètes de Wall Street ont annoncé une première fois la fin de la crise, on a été tenté de les croire; vieille habitude acquise au temps de la prospérité. Quand la 10 première prophétie ne s'est pas réalisée, le public américain s'est étonné; quand la seconde s'est montrée fausse, ce public a souri. A la troisième, il s'est indigné; maintenant, dès que les faux prophètes ouvrent la bouche, l'Américain moyen hausse les épaules, et l'humoriste 15 Will Rogers prie les grands économistes de ne plus prédire le retour des bons jours, « parce que, dit-il, cela nous porterait malheur ». Un scepticisme intelligent se répand. Quand un orateur dit aujourd'hui aux Américains: « Vous êtes le peuple le plus heureux du monde, 20 puisque vous avez tant de locomotives, tant de camions et tant de radios », les Américains se détournent avec ennui. *Les hommes d'État qui ont la malchance d'être au pouvoir en temps de crise sont rendus responsables des malheurs publics.* Un général vaincu est un général qui est 25 présent le jour d'une grande défaite. M. Robert Marshall a montré que les élections présidentielles dépendent, aux États-Unis, des chutes de pluie. C'est naturel. Sécheresse veut dire mauvaise récolte. Mauvaise récolte et mauvaises affaires engendrent mécontentement général 30 et changements politiques.

*En temps de crise, l'individu menacé cherche la protec-*

*tion de la horde.* La puissance de l'État augmente parce que chacun souhaite être défendu. Les États-Unis, pays individualiste, ont fait l'an dernier du socialisme agricole pour leurs fermiers. De tous côtés les plus intelligents des hommes d'affaires réclament des ententes sur la production. Certains demandent même que l'entente soit internationale. L'indifférence et le mépris ont fait place à un intérêt très vif pour les affaires d'Europe. Le fermier du Texas s'aperçoit qu'il ne peut vendre son coton à des usines anglaises qui chôment. Les défilés de chômeurs apprennent au capitaliste américain que le bolchevisme en Europe serait un évenement assez grave pour lui-même. Le Sénat de Washington est encore très loin d'avoir compris que l'intérêt véritable de l'Amérique est de faire partie à la Ligue des nations et d'aider à garantir la paix du monde, mais *la crise a mis l'Amérique sur le chemin de l'entente avec l'Europe.* Ajoutez que l'Europe, depuis cette crise, a plus de sympathie pour l'Amérique, car les peuples, comme les individus, ont besoin de sentir leurs souffrances partagées.

Quel a été l'effet de la crise sur le petit groupe de rebelles que nous avions observé en 1927 ? Il semble qu'elle ait rapproché ce groupe de la horde. Plus exactement, c'est la masse qui paraît s'être rapprochée de ce groupe. Elle commence à entrevoir que les rebelles n'avaient pas tort de lui dire qu'il y a autre chose dans la vie humaine que la prospérité matérielle. Ayant moins d'argent pour des plaisirs d'agitation, elle est allée vers des plaisirs de culture. Naturellement, ce que je viens de dire n'est encore vrai que d'une élite, mais, dans les Universités de l'est par exemple, on ne voit plus les jeunes intellectuels méprisés par les sportifs. *Le résultat est que l'in-*

*tellectuel cesse d'être un rebelle pour devenir plus constructif.*

Enfin il est trop tôt pour juger quels ont été les effets de la crise sur la conduite sexuelle. Mais je ne serais pas surpris si elle tendait à ramener les Américains les plus libérés vers une vie plus traditionnelle, ne fût-ce que pour des raisons économiques. Le divorce fréquent, les pensions alimentaires sont divertissements de gens qui ont un excédent de revenus disponibles.

* * *

On voit que, sur beaucoup de points, la crise a transformé les réactions de l'Homo Americanus. A mon avis, cette transformation s'est faite dans un sens favorable: la crise a donné à l'Américain plus de maturité et de sagesse. Il reste à se demander si ses effets seront durables.

Je crois qu'il ne faut pas trop l'espérer. Les expériences qui produisent en nous des changements profonds sont celles qui sont assez fréquemment répétées pour devenir des habitudes. L'enfant apprend à marcher, à manger, parce qu'il fait ces mouvements chaque jour. L'expérience unique n'instruit guère. Or les grandes crises économiques ont toujours, dans le passé, été séparées par des périodes de prospérité, de sept, huit ou dix ans. C'est un intervalle de temps assez long pour que l'homme oublie. L'expérience de la guerre elle-même, beaucoup plus terrible, beaucoup plus importante, semble toujours avoir été oubliée par l'humanité après une génération. Qui se souvient aujourd'hui de toutes les pensées sages qui furent éveillées chez nos pères par les crises de 1876, de 1893, de 1907, de 1921 ?

Il est probable qu'à la crise actuelle succédera une vague de hausse et de richesse. Peut-être celle-ci entraînera-t-elle avec elle toute la sagesse nouvelle de l'Amérique. Pourtant les hommes, au cours des siècles, ont appris quelques leçons. Je serais étonné si, de ce qui a été acquis au cours de ces trois dernières années, tout se trouvait perdu. La jeune Amérique a vieilli et mûri depuis 1929. Elle arrive à cet âge difficile et beau où, pour les peuples comme pour les individus, les responsabilités de l'homme fait succèdent aux illusions optimistes de l'enfance et au pessimisme rebelle de l'adolescence. Elle traversera (et nous traverserons avec elle) encore des crises semblables à celle qui s'achève; ses amis espèrent qu'elle arrivera devant chacune d'elles un peu plus sage et un peu mieux préparée. Le rat qu'après un long intervalle de temps on ramène devant la boîte pleine de nourriture qu'il avait appris à ouvrir paraît d'abord avoir oublié son expérience passée; mais l'observateur découvre bientôt qu'en dépit des apparences l'animal se souvient, et la preuve en est qu'il découvre alors beaucoup plus vite que la première fois le chemin à suivre pour pénétrer dans la boîte. L'humanité est comme un animal immortel qu'un expérimentateur invisible et puissant ramène, tous les dix ou douze ans, devant le mécanisme compliqué des crises économiques; il est probable qu'en dépit de son apparente folie elle n'oublie pas entièrement l'expérience du passé.

# TROISIÈME PARTIE

## *Conseils à un jeune Français partant pour l'Amérique*

## *Conseils à un jeune Français partant pour l'Amérique*

Tu as lu, depuis que tu prépares ce voyage, cent livres sur l'Amérique: oublie-les. Le voyageur est tenté, quand il décrit un pays lointain, d'en exagérer l'étrangeté. Pour moi qui cherche, non à te plaire, mais à t'instruire, je te dirai que les êtres à visage humain qu'après six 5 jours d'océan tu rencontreras sur l'autre rive ne sont pas aussi différents que tu t'imagines de tes amis d'Europe ni de toi-même. Ce sont des hommes qui, comme nous, travaillent, souffrent, mangent, boivent et font l'amour, lisent des poètes, bâtissent des temples et les détruisent, 10 naissent et meurent. Tu pars pour l'Amérique et non pour la lune. Reste simple.

* * *

*Langage.* — Ne crois pas savoir l'américain parce que tu parles l'anglais. Tu serais déçu. Tu comprendras les femmes de New-York, les professeurs des Universités. 15 Dès que tu atteindras des groupes moins imprégnés de culture européenne, tu découvriras une langue nouvelle. La présence en Amérique de groupements ethniques, si importants qu'ils y ont conservé une existence nationale, a enrichi cette langue de mots italiens, allemands, juifs, 20 qui se sont mêlés à l'anglais, comme l'arabe à l'espagnol ou au français au temps des invasions maures. Quand

*Babbitt* fut publié pour la première fois en Angleterre, il fallut un lexique.

L'américain est un langage beaucoup plus jeune que l'anglais. Les mots y naissent encore des images, comme dans les langues primitives. Beaucoup d'entre eux ont une vie brève. En 1927, quand j'y vins pour la première fois, tout ce qui charmait était « *cute* ». En 1931, le mot était ridicule, presque interdit. Tu me diras que « *awful* » en Angleterre, « formidable » en France, ont connu mêmes grandeur et décadence. Mais en Amérique le cycle est plus bref, et le vocabulaire de chaque instant plus court.

* * *

*Conversation.* — C'est un lieu commun qu'il n'y a pas de conversation en Amérique. Comme tous les lieux communs, celui-là manque de nuances. Une conversation d'après-dîner entre des professeurs est à peu près semblable à une conversation de professeurs en France ou en Angleterre. A New-York j'ai assisté à un dîner, dit de la Table Ronde, où la conversation politique fut digne de Léon Bérard. Une conversation en tête à tête avec une Américaine intelligente est un des grands plaisirs de l'Amérique. Mais ces bonheurs sont rares. Voici pourquoi.

Les Américains n'accordent pas à la cuisine « considérée comme un des beaux-arts » une part importante de la vie. Le déjeuner pour eux est une aumône faite au corps. On lui jette en hâte un fruit, un poisson, et l'on retourne au travail. Des écrivains, par réaction utile, ont fondé le club des « Trois heures pour déjeuner », mais ils sont une plaisante exception. Au dîner même, la conversation générale est rare. Chacun parle avec son voisin. Après le dîner les hommes restent seuls, affreux usage hérité de l'Angleterre. A New-York, souvent ton hôte proposera de t'emmener au théâtre, ou bien il aura fait venir chez lui un pianiste, un chanteur, un conférencier. L'idée d'abandonner ses convives à eux-mêmes et d'attendre leur plaisir de ces rencontres l'étonne et même l'effraie. Une excessive modestie ne lui permet pas d'imaginer que ses amis puissent être heureux d'être chez lui, de le voir et de se voir les uns les autres. Il les traite comme des enfants. La veille de Noël tu verras, dans quelques-unes des maisons les plus agréables de New-York, des arbres de Noël pour grandes personnes. Ailleurs, après un dîner composé d'hommes remarquables et que tu souhaiterais interroger, tu verras arriver un prestidigitateur qui amusera de son mieux les vieillards. Alors tu comprendras que l'absence de conversation vient en Amérique, non de l'absence d'idées, d'esprit, ou de connaissances, mais d'une timidité invincible et d'une prodigieuse méfiance de soi. En aucun pays tu ne trouveras une telle impuissance à s'exprimer. Il t'appartient de vaincre ces résistances et de donner à ces grands « refoulés » l'occasion d'un repos et d'une confidence.

L'alcool t'y aidera. Je sais qu'en France tu bois peu. En Amérique, tu auras quelque peine à rester sobre. Presque partout on t'offrira des cocktails; il te sera difficile de refuser. La prohibition a donné, aux yeux des Américains, un prix plus grand que jadis à l'offre d'un breuvage. L'homme qui te le verse sacrifie pour toi la part d'une réserve, d'un bien mesuré. Il sera blessé si tu sembles estimer trop peu son sacrifice. On t'a beaucoup parlé de boissons dangereuses, de poisons mêlés aux vins; tu auras l'air, si tu t'abstiens, de manquer de confiance ou de courage. Pense, pour te consoler, que dans les maisons sèches le cocktail est remplacé par un verre de sauce à la tomate.

* * *

*Vie intellectuelle.* — De toutes les idées fausses que tu peux apporter ici, la plus sotte est la légende d'une Amérique indifférente aux choses de l'esprit. Tu trouveras dans ce pays une littérature et une architecture. Une peinture ? Attendons; ce que j'ai vu m'a paru trop inspiré d'un modernisme européen pour être original. Mais leurs livres sont parmi les meilleurs de ce temps. Que dois-je lire ? Des romanciers: Ernest Hemingway, style tube d'acier nicklé, John Dos Passos, Thomas Wolfe, Glenway Wescott, Michael Gold, George Davis ou, si tu préfères un ton plus classique: Willa Cather, Thornton Wilder, Louis Bromfield, Christopher Morley. Je ne te parle pas des plus célèbres: Sinclair Lewis, Sherwood Anderson, Dreiser, que tu connais déjà. Des poètes: T. S. Eliot, Stephen Benét. Des essayistes: Walter Lippman, Thomas Beer. Des critiques: Edmund Wilson, J. W. Krutch. Des auteurs dramatiques: Eugène O'Neill, Elmer Rice. Je cite au hasard de la mémoire et oublie peut-être les meilleurs, mais la longueur d'une liste à peine esquissée te donne une idée des richesses que tu vas découvrir.

Je ne sais ce qu'est la vie intellectuelle dans les autres grandes villes, mais je crois que New-York te paraîtra l'une des villes les plus excitantes pour l'esprit qui soient au monde. New-York est le « clearing house » des idées de l'univers. Tous les livres importants de tous les pays y sont traduits. On y trouve un public pour Virginia Woolf, pour André Gide, pour Thomas Mann. Le livre le plus lu de l'Amérique est aujourd'hui d'un Suédois, sera demain d'un Français, d'un Russe. Lis leurs jeunes revues: le *Symposium*, le *Hound and Horn*. Tu seras étonné par l'étendue de leur information et par la qualité de leur jugement.

Cette curiosité universelle n'est naturellement pas sans dangers. La vie de l'esprit souffre, aux États-Unis, de maux qui sont ceux de notre époque, mais ont pris là-bas forme virulente. Le plus grave est une usure rapide des idées. On a dit que le peuple américain tout entier adopte une idée scientifique comme il adopte une forme de chaussures. C'est vrai. Le freudisme, le behaviourisme, l'humanisme de Babbitt, le relativisme d'Einstein ont successivement pénétré dans les classes moyennes (sous une forme élémentaire) beaucoup plus profondément qu'en Europe. Mais l'Américain se lasse des systèmes aussi vite qu'il s'engoue. Chez lui les modes intellectuelles sont passagères. Parce que les esprits les plus brillants de l'Europe viennent étaler ici leurs paradoxes, le cerveau américain, blasé, exige des nourritures spirituelles aux saveurs fortes. L'esprit critique manque, non pas aux meilleurs, mais aux masses. Tu me diras que les masses en Europe en sont assez dépourvues. Peut-être, mais elles ont en France un bon sens, une méfiance traditionnels, en Angleterre une splendide indifférence et un mépris profond des idées, qui forment volant et empêchent les moteurs de l'esprit de s'emballer. Aux États-Unis, la fraîcheur d'âme est plus grande, la curiosité plus naïve. Cela est sympathique, mais ne va pas sans de redoutables erreurs.

Donc, si tu souhaites, dans ce pays, produire un effet rapide sur les foules, tu le peux. Sois brillant, cynique. Brûle ce que les autres ont adoré et adore ce qu'ils ont brûlé. Critique sauvagement l'Amérique. Il y aura des
5 réactions violentes; elles seront ta gloire éphémère. Les journaux citeront tes mots. Tu seras célèbre — et, trois mois plus tard, oublié. Mais si tu désires, comme je l'espère, apporter à ces étrangers le meilleur de toi-même, agis de façon toute contraire. Sois simple, ne force pas ta
10 pensée, cherche les nuances précises et délicates, comme si tu t'adressais aux Français les plus cultivés et les plus difficiles. Tu ne feras pas beaucoup de bruit. Les reporters, déçus, ne trouvant pas dans ton discours les éléments d'un titre accrocheur, en rendront compte
15 en trois lignes ou point du tout. Mais lentement tu verras venir à toi des esprits timides, modestes et justes. Il y en a beaucoup aux États-Unis. Ils s'attacheront à ta personne. Non que tu sois un homme de génie, mais tu peux leur donner ce qui leur manque et ce que tu dois
20 à la France: le goût de l'ordre dans les idées, l'art de construire, une longue et ingénieuse tradition d'analyse sentimentale. Eux t'apporteront la fraîcheur de l'esprit et une manière directe de poser les questions morales métaphysiques, comme si elles étaient toutes neuves
25 Tu leur enseigneras la maturité. Ils te révéleront la jeunesse.

* * *

*Nourriture.* — On t'a dit que l'Américain ne sait pas manger. Toutes les propositions générales sont fausses. La cuisine américaine est monotone, mais cette cuisine
30 est bonne quand elle est simple. Comment se plaindre

dans un pays où les fruits sont abondants et frais, où les pamplemousses du matin répondent aux « persimmons » de midi, où les botanistes, par des croisements savants, ont produit un melon survégetal qu'ils ont appelé: Rosée de Miel ? Dans la Nouvelle Angleterre, recherche 5 les bêtes venues de l'océan. Boston a ses poissons comme Marseille a les siens. Dans les auberges, au bord de la route, demande un demi-poisson rôti et des haricots de Lima. Garde-toi des salades. Les salades américaines sont des hérésies culinaires. Tu y trouveras 10 des tranches de fruits frais coupablement trempés dans l'huile, des fromages et des choux égarés, des cœurs de laitue si épais que ton couteau ne pourra les entamer. Le pain, presque toujours cuit à la maison, est varié de forme et de saveur. Tu regretteras la miche française, 15 doucement salée, mais tu aimeras ces petits pains auxquels s'accrochent, durs et odorants, des grains de pavot. Enfin ne t'étonne pas de trouver tant de plats décorés d'ornements étranges et superflus. Ce peuple jeune a le goût du décor, plus que celui des plaisirs de la bouche. 20

* * *

*Vêtements.* — Habille-toi comme à Paris. Vêtements sobres et sombres à New-York et dans les grandes villes; *tweeds*, *plus fours* et bas à la campagne. Dans le jour, tous les hommes ont pris cet air d'ouvrier bien payé que donne le col souple aux millionnaires. Le prolétaire américain 25 porte le chapeau mou, souvent le chapeau melon. Au travail, il le garde sur sa tête et passe sur son costume une combinaison. Cela lui donne, à nos yeux européens, l'air d'un amateur qui se serait arrêté par hasard devant ce métier, sous cette voiture. 30

Mais tous les Américains, me demandes-tu, ne portent-ils pas le même costume et le même chapeau à la même minute ? Je l'ai lu. Ce fut peut-être vrai. Je ne l'ai pas constaté moi-même. J'ai vu des chapeaux melons, j'ai vu des chapeaux mous, et j'ai vu des jeunes gens sans chapeau. A Princeton on m'a parlé d'un temps où porter un col de chemise ouvert, à la manière de Shelley ou de Byron, était un signe de rébellion que punissait un ostracisme social. Mais ces choses se passaient il y a trois ou quatre ans, c'est à dire dans un passé lointain. En 1930, un étudiant était libre de se vêtir comme il lui plaisait. Il y avait des modes (un certain pardessus de cachemire beige, un pantalon de flanelle grise), mais elles n'étaient pas plus strictes que celles de Cambridge ou d'Oxford. Seul l'étudiant de première année devait observer une modestie convenable; la casquette noire lui était imposée, et la cravate de couleur interdite. Puis, à la suite d'une victoire remportée par leur équipe sur Yale, ces jeunes hommes se révoltèrent et parurent un matin ornés de cravates éclatantes. Les anciens capitulèrent.

* * *

*Usages.* — Parce que les États-Unis sont un pays démocratique, tu imagines une vie sans contraintes. C'est que tu n'as jamais étudié les mœurs des primitifs. Plus un groupe humain est jeune, plus le formalisme y est rigide, parce que seules des règles sévères y peuvent dompter les hommes et les plier à la vie sociale. C'est dans les aristocraties les plus anciennes que l'on trouve les manières les plus libres et le laisser-aller le plus gracieux. Le pionnier, dans la solitude, devient brutal.

Quand il commence à vivre en société, il faut lui imposer un code, des manières. Le cérémonial de Louis XIV était fait pour les rudes seigneurs de la Fronde. Le formalisme des pionniers est surprenant. Si, comme je l'ai fait, tu viens habiter dans une ville d'université américaine, le lendemain de ton arrivée tu trouveras chez toi deux cents cartes. Toute la faculté te rend visite. Ceux même qui te trouvent chez toi déposent une carte en sortant, et tu dois à ton tour, si tu en as la force, rendre ces deux cents visites. Une invitation par téléphone est rare, et jugée contraire aux bons usages. Si les circonstances l'ont rendue nécessaire, elle est suivie d'une lettre d'excuses. Les moindres événements sont prétextes à lettres de sympathie ou de bienveillance. Un ami américain t'écrit pour te dire que ce dîner, la veille, fut agréable, et qu'il en garde un souvenir particulier. A toute occasion on échange des cadeaux, petits, sans valeur, mais qui entretiennent des sentiments amicaux. Quand tu seras fatigué, surmené, tu jugeras ces attentions superflues. Observe mieux: tu verras combien, dans cette société jeune, elles aident à supporter la vie.

Garde-toi de croire que, pour être un pays sans noblesse héréditaire, l'Amérique soit un pays sans hiérarchie. Je connais peu de nations où l'étiquette du mépris soit aussi variée. Les Anglo-Saxons méprisent les autres races, et celles-ci se méprisent entres elles. Les gens du Sud méprisent les gens du Nord, les gens de l'Est ceux du Middle-West. Les Américains de Trois Siècles méprisent les Deux Siècles, qui méprisent les Un Siècle, qui refusent de voir les nouveaux arrivants. Dans les vieilles familles, où le fils aîné porte le prénom du père (il y a toujours un Cornelius Vanderbilt, un Percy Pyne, comme il y a toujours une Corisande chez les Gramont et un François chez les La Rochefoucauld), un chiffre suit le nom. On dira un jour John Jacob Astor XVII, comme on dit le prince Henri XXIII de Reuss. A Hollywood, les vieilles familles sont celles du temps des films silencieux: Douglas Fairbanks, Mary Pickford. Elles ont des butlers anglais, des tables couvertes de dentelles, une cuisine conservatrice, de vieux vins. Charlie Chaplin est le Swann de ce monde suranné où l'on parle à mi-voix, avec regret, du bon vieux temps où les écrans étaient muets.

Le snobisme américain s'est attaché à des signes de noblesse bien étranges et qui eussent enchanté Marcel Proust. Avoir un numéro de téléphone aussi bas que possible est un avantage social. Un milliardaire nouveau sera prêt à payer fort cher l'employé qui distribue les numéros des voitures automobiles, pour obtenir de lui tel chiffre de la première centaine, devenu libre par l'extinction d'un grand nom. Une loge au Metropolitan Opera a son histoire, comme un fauteuil à l'Académie française. Les noms des titulaires successifs sont imprimés dans le programme. Les jours de fête de charité, où toutes les loges sont à vendre, tel nouveau riche jugera glorieux d'occuper la loge Astor, la loge Cutting.

Si tu aimes le bonheur, refuse-toi aux hôtesses professionelles, qui dévoreront ton temps et tes forces. Choisis un petit nombre d'amis. Il y a, à New-York, quelques maisons délicieuses et simples; fuis les autres. Si, pour des fins particulières, tu as besoin de conquérir la ville, c'est différent. Sois plus snob que les snobs. Ta hauteur les étonnera; ton silence les inquiétera; tes caprices les enchanteront. Ces gens souffrent d'une vie trop encadrée; brise les cadres.

* * *

*Vie sentimentale.* — Tu arriveras convaincu par les récits de tes voyages que la liberté des mœurs est grande en Amérique. Sois prudent. Ce pays est celui où la femme est le plus étroitement protégée. L'adultère y est rare et remplacé par les divorces multiples. Les jeunes filles, 5 belles, souvent intelligentes, sont décidées à se faire épouser. Ce qu'elles appellent leur « technique » est un art d'aimer fort différent de celui d'Ovide. Il est vrai que ta qualité d'étranger te donnera quelque sécurité. L'Européen est un amant ou un ami souhaitable, non un 10 mari. Il ne saurait être, comme l'Américain, à la fois généreux et sans jalousie. Le mariage d'un Français et d'une Américaine est celui de deux enfants gâtés: composé instable. Les âmes ici sont plus simples. La passion ne joue pas un rôle aussi grand. Tu seras surpris de 15 voir comment tel jeune homme, arrivé avec une jeune fille qui à tes yeux est *la sienne*, supporte aisément de la voir donner son attention à un autre. Ils ne s'accrochent pas comme nous à ce qui les fuit. Plutôt renoncer que de souffrir. « Comment, me disaient-ils, pouvez-vous 20 peindre dans vos romans des hommes aussi occupés des femmes ? Est-ce que vos héros n'ont rien à faire ? » Naïveté sincère. Mais si tu parviens à émouvoir une de ces créatures splendides, elle s'attachera d'autant plus à toi que cet amour inquiet d'Europe sera pour elle plus 25 nouveau. L'Américaine trouve des esclaves; elle cherche un maître. Si tu es libre, joue cette partie. L'enjeu est beau.

## ENVOI

Je voudrais te parler encore des jeunes hommes et des sports, des collèges de jeunes filles qui sont des paradis, et des partis politiques qui sont l'enfer. Mais tu pars: je ne peux plus te dire qu'un mot. Tu vas dans le pays de la 5 timidité, n'oublie pas ta sympathie. Tu vas dans le pays de la bienveillance, n'oublie pas ta chaleur de cœur. Tu vas dans le pays de la jeunesse, n'oublie pas ton enthousiasme. Un peuple est un miroir où chaque voyageur contemple sa propre image. En Amérique comme par- 10 tout, vois-tu, on ne trouve que ce qu'on apporte. Fais en toi-même une Amérique dont tu sois digne; c'est celle-là seule que tu découvriras.

# NOTES

## Page 1

4. **en pleine prospérité:** en anglais, *in complete prosperity.*
6. **tenir compte:** en anglais, *to take into consideration.*

## Page 5

10. **blanchie à la chaux:** voir **blanchir** dans le vocabulaire.
23. **M. Taine:** Hippolyte Taine (1828–1893), célèbre critique et historien français. Philosophe positiviste et partisan du « naturalisme » littéraire. Parmi ses œuvres se trouvent: *Histoire de la littérature anglaise* et *Origines de la France contemporaine.*

## Page 6

29. **Mustapha Kemal:** Mustapha Kemal Pasha, né en 1881, président de la République Turque. Il a modernisé complètement son pays.

## Page 7

14. **d'un exotisme surprenant:** *surprisingly exotic.*
15. **Lorraine:** La Lorraine est une vieille province française sur la frontière allemande. Après la guerre de 1870–1871 la plus grande partie de l'Alsace-Lorraine est devenue allemande. Le traité de Versailles a rendu l'Alsace et la Lorraine à la France.
16. **le maire Thompson:** William (Big Bill) Thompson, qui trouva le moyen de se faire élire maire de Chicago en adoptant comme programme: « Maintenir le roi George hors de Chicago. » Prétendant que toutes les histoires classiques de l'Amérique sont écrites par des courtisans du roi George d'Angleterre, il voulait en faire composer de nouvelles, desquelles les Anglais disparaîtraient, et les imposer dans les écoles et la bibliothèque de la ville.
22. **cabine:** Une *cabine* est un petit réduit contenant juste l'espace pour dormir; cabine de bateau. On dit aussi cabine téléphonique, cabine de bains (petite logette où un baigneur se déshabille), etc. C'est une sorte de diminutif de « cabinet. »

Une *cabane* est une pauvre habitation pour les humains, et peut être employée pour désigner un endroit étroit et dénué de tout confort: Il habite une cabane. Pour les animaux, abri, maison:

la cabane aux lapins. Cabane peut désigner aussi une halte pour pêcheurs, chasseurs, etc.

24. **Santayana:** George Santayana (1863– ), poète et philosophe né à Madrid, Espagne. Il a fait ses études à Harvard, Berlin, King's College, Cambridge, et à la Sorbonne. Professeur à Harvard pendant plus de vingt ans, il préfère l'Europe et habite maintenant l'Italie. Auteur de: *The Sense of Beauty*, *The Life of Reason*, *The Last Puritan*, etc.

## Page 8

26. **Mais si, quand il s'agit de vous:** *But it's the truth, when one speaks of you.*

29. **vit dans la laine:** n'a pas de soucis, vit douillettement; *lives in luxury.*

## Page 9

15. **don-quichottisme:** Don Quichotte (Don Quijote de la Mancha) est le héros du plus célèbre roman de l'auteur espagnol, Cervantes (1547–1616). Voir **don-quichottisme** dans le vocabulaire.

## Page 10

10. **présidents du Conseil:** Les affaires du gouvernement français sont gérées par le Conseil des Ministres. Le chef du Conseil porte le titre de « Président du Conseil des Ministres, » Chef du Cabinet, Premier Ministre. En anglais, *prime minister* ou *premier.*

14. **la Troisième Internationale:** La Troisième Internationale est une société établie à Moscou en 1919 pour propager le communisme dans le monde.

26. **commissaire du bord:** *purser.*

## Page 11

12. **Tannhäuser:** opéra de Wagner.

14. **le Venusberg:** Le Venusberg est une montagne entre Eisenach et Gotha. Selon la légende Vénus tenait sa cour dans une caverne de cette montagne et y attirait des personnes et les séduisait par de la musique et des plaisirs sensuels. Ces victimes ne revenaient pas au monde.

16. **en plein coton:** entourés de brouillard.

20. **Huxley:** Aldous Huxley, né en 1894, auteur et critique anglais.

## Page 12

4. **sujets d'élite:** *superior individuals.*

13. **Homère:** célèbre poète grec, auteur de l'*Iliade* et de l'*Odyssée,* vécut vers le neuvième siècle avant J.-C.

15. **Hugo:** Victor Hugo (1802–1885), le grand génie du Romantisme français et qui a dominé la littérature en France pendant le dix-neuvième siècle.

16. **Tolstoï:** Le comte Liov (Léon) Tolstoï (1828–1910), le grand écrivain russe, fut un des plus grands romanciers des temps modernes.

## Page 14

6. **Haendel:** Georges-Frédéric Haendel (1685–1759), compositeur allemand, a laissé des opéras et des oratorios en grand nombre.

## Page 16

7. **palais Pitti:** Le palais Pitti, construit vers 1440 et restauré en 1739, est un bel exemple de l'architecture de la Renaissance italienne. Il est presque aussi grand que le palais du Vatican et est maintenant une résidence royale. On y voit une magnifique galerie de cinq cents tableaux, dont un grand nombre de chefs d'œuvre de peintres italiens et étrangers.

19. **Andelys:** Les deux villages des Andelys se trouvent sur la Seine dans le département de l'Eure. C'est dans le Petit-Andely que se trouvent les ruines du Château Gaillard, construit en 1197 par Richard Cœur de Lion pour protéger la Normandie contre le roi de France. Il fut conquis en 1204 par Philippe Auguste.

## Page 17

14. **Turner:** Joseph Mallord William Turner (1775–1851), peintre anglais.

## Page 19

20. **Valéry:** Paul Valéry, auteur français né en 1871.

27. **breakfast:** Maurois se sert de temps en temps de mots anglais que beaucoup de ses lecteurs français peuvent comprendre pour donner une atmosphère exotique à ce pays étranger qu'il leur décrit. Dans ce livre on voit des mots tels que *breakfast*, *clams*, *grapefruit*, *racketeers*, etc.

## Page 20

29. **Beethoven:** Ludwig van Beethoven, célèbre compositeur de musique allemand, né à Bonn (1770–1827).

## Page 21

15. **Grapefruit:** « Pamplemousse » en français. Voir note, page 19, ligne 27.

19. **Disraëli:** Benjamin Disraëli (1804–1881), auteur et homme

d'État, deux fois premier ministre de l'Angleterre. Maurois a publié une biographie sur Disraëli en 1927.

30. **Byron:** Maurois a écrit une vie de Byron, le célèbre poète anglais. C'est une de ses meilleures œuvres.

## Page 22

16. **Morand:** Paul Morand, né en 1888, a publié des romans et des livres de voyages. Son *New-York* est très connu aux États-Unis.

16. **Cocteau:** Jean Cocteau, né en 1892, romancier, artiste, et auteur de pièces de théâtre.

16. **Keyserling:** Le comte Herman Keyserling, né en Russie en 1880. Grand voyageur, philosophe et savant, il a écrit des livres dont plusieurs sont connus en Amérique. On peut lire en anglais *The Travel Diary of a Philosopher*, *America Set Free*, *South American Meditations*, etc.

16. **Thomas Mann:** Thomas Mann, qui a reçu en 1929 le Prix Nobel pour la littérature, est né à Lübeck en 1875 d'un père allemand et une mère portuguaise-indienne.

17. **Forster:** Edward Morgan Forster, né en 1879, romancier anglais.

17. **Virginia Woolf:** romancière anglaise née à Londres en 1882.

19. **Proust:** Marcel Proust (1871–1922) est connu pour son grand ouvrage *A la Recherche du Temps Perdu.* A cause de son style, beaucoup de lecteurs trouvent ses œuvres difficiles à comprendre, mais il est généralement admiré par les romanciers modernes en France.

24. **Rabelais:** Rabelais (1483–1553), auteur français, célèbre par son histoire de *Gargantua* et *Pantagruel.* Érudit, esprit remarquable, style abondant et coloré.

27. **Byron:** George Gordon Byron, célèbre poète anglais, auteur de *Childe Harold*, *Don Juan*, etc. Ses œuvres violentes, impétueuses et belles ont inspiré beaucoup de romantiques français. Il mourut à Missolonghi pendant l'insurrection hellénique (1788–1824). Voir note, page 21, ligne 30.

## Page 24

28. **Bois:** Le Bois de Boulogne ou « le Bois » est le plus grand des parcs parisiens. Il se trouve au nord-ouest de la ville.

## Page 25

9. **pût:** subjonctif après un adjectif superlatif.

25. **Pullman:** mot anglais. Voir note, page 19, ligne 27. En France on dit « wagon-lits » pour la voiture et « couchette » pour le lit.

## Page 26

9. **prendre . . . dans:** voir **prendre** dans le vocabulaire.

24. **Harlem:** nom donné au quartier nègre de New-York.

### Page 27

2. **clams:** voir note, page 19, ligne 27. Le mot français est « palourde ».

15. **Panthéon:** Le Panthéon est un monument à Paris qui contient un musée de peintures patriotiques et les restes de quelques-uns des grands hommes de France.

15. **Voltaire:** Voir note, page 88, ligne 1.

23. **Charlot:** diminutif de Charles, *Charlie.* Il s'agit ici de Charlie Chaplin, qui est très populaire en France.

### Page 28

10. **ancien élève:** en anglais, *alumnus.*

20. **Eugène O'Neill:** le plus grand des dramaturges américains modernes, né à New-York en 1888. Il a écrit *Emperor Jones, Desire under the Elms, The Great God Brown, Strange Interlude, Mourning Becomes Electra,* etc.

21. **Napoléon:** Napoléon Bonaparte, empereur des Français, naquit à Ajaccio, Corse, en 1769 et mourut en exil à Ste.-Hélène en 1821. Peu d'hommes ont exercé sur leur temps une influence aussi profonde et aussi durable que celle de Napoléon Ier.

### Page 29

7. **Clemenceau:** Georges Clemenceau (1841–1929), homme politique français, fut Ministre de la Guerre et Président du Conseil en 1917. Il représenta la France à la signature du traité de Versailles.

7. **Lloyd George:** David Lloyd George, homme politique anglais né à Manchester en 1863. Premier ministre de 1916 à 1922, il représenta l'Angleterre à la signature du traité de Versailles.

13. **machine** = machine à écrire.

13. **ou bien:** *or else.*

### Page 30

6. **Einstein:** Albert Einstein, célèbre physicien juif, détenteur d'un prix Nobel en 1921, est né à Ulm en Allemagne en 1879. Il est l'auteur d'une théorie de la relativité du temps qui modifie la théorie newtonienne de la gravitation universelle.

### Page 32

3. **Pope:** Alexander Pope (1688–1744), poète et philosophe anglais, exerça sur son temps une suprématie littéraire.

14. **Shelley:** Percy Bysshe Shelley (1792–1822), ami de Lord Byron et un des meilleurs poètes lyriques anglais.

22. **Swift:** Jonathan Swift (1667–1745), écrivain anglais, auteur de *Gulliver's Travels, The Tale of a Tub,* etc.

22. **Sterne:** Laurence Sterne (1713–1768), écrivain anglais né en Irlande, auteur de *Tristram Shandy*, etc.

22. **Flaubert:** Gustave Flaubert (1821–1880), un des premiers romanciers naturalistes français. Il haïssait la médiocrité bourgeoise et cherchait toujours à perfectionner son style, cependant beau et harmonieux. Il a peu écrit. Son roman *Madame Bovary* est très connu.

23. **Virginia Woolf:** voir note, page 22, ligne 17.

28. **yards:** mot anglais assez connu en France (91 centimètres).

### Page 33

16. **Colombes:** petite ville près de Paris.

25. **coups:** en anglais, *downs.*

30. **sweater:** Pour les sports les Français ont emprunté beaucoup de mots anglais. *Sweater*, vêtement de sport que l'on passe par la tête. Un « tricot » est un vêtement tricoté et peut être une veste aussi bien ouverte que fermée, un gilet, un sous-vêtement, ou tout autre chose faite « au tricot. »

### Page 35

23. **bacon:** voir note, page 19, ligne 27.

### Page 37

14. **cottages:** mot anglais assez connu en France.

29. **Grenoble:** Il y a une université à Grenoble.

29. **langage:** emploi de la parole pour exprimer les idées. Une **langue** est l'idiome d'une nation.

30. **la Sorbonne:** La Sorbonne est le siège des cours publics des facultés de l'Université de Paris. Elle fut fondée en 1269 par Robert de Sorbon, chapelain de Saint Louis (Louis IX).

### Page 39

24. **Le Crime de Sylvestre Bonnard:** roman par Anatole France.

### Page 40

6. **Dianes:** Diane, fille de Jupiter et Latone, fut chez les Romains la divinité des chasseurs.

11. **Pays d'Utopie:** Dans un de ses romans, *Utopia*, Thomas More décrit un pays idéal et imaginaire.

### Page 41

6. **Gengis Khan:** Gengis Khan (1154–1227), conquérant tartare, fondateur du premier empire mongol.

### Page 42

12. **Hôtel-Dieu:** autrefois, le principal hôpital d'une ville. On ne se sert plus de ce mot que pour désigner le plus vieil hôpital de Paris.

### Page 43

12. **Verdi Club:** Guiseppi Verdi (1813–1901), grand compositeur italien. Auteur de *Rigoletto*, *Aïda*, *la Traviata*, *Il Trovatore*, etc.
18. **Caruso:** Enrico Caruso, le grand ténor, né à Naples en 1868 et mort en 1921.
26. **Browning Club:** Robert Browning, le distingué poète anglais, naquit en 1812 et mourut en 1889.

### Page 44

2. **Meredith Club:** George Meredith, poète et romancier anglais psychologue pénétrant (1828–1909).
32. **D'où:** en anglais, *whence.*

### Page 45

22. **chez des petites gens:** en anglais, *among lower middle-class people.*

### Page 47

20. **Il en est de même:** en anglais, *it is the same way with.*

### Page 48

11. **Balzac:** Honoré de Balzac (1799–1850), brillant et fécond romancier français, auteur de la *Comédie humaine*, etc.
12. **Mme de Mortsauf:** un des personnages du *Lys dans la Vallée*, un roman de la vie de province, par Balzac. Le comte de Mortsauf est un malade égoïste, irascible, et dément qui est très cruel pour sa femme. Celle-ci, qui a de l'amour platonique pour M. de Vandenesse, meurt de chagrin quand elle apprend que ce dernier lui a été infidèle.
22. **mise au point:** en anglais, *stabilization*, *fixation.*

### Page 50

19. **langoustes:** Les langoustes sont des crustacés qui ressemblent aux homards, mais dont la première paire de pattes est dépourvue de pinces. Peut-être s'agit-il ici de homards.

## Page 52

26. **Stendhal:** pseudonyme de Marie-Henri Beyle, romancier et critique du dix-neuvième siècle (1783–1842). Auteur de *la Chartreuse de Parme, le Rouge et le Noir,* etc. Quelques-uns des romans de Maurois subissent l'influence de Stendhal.

26. **Proust:** voir note, page 22, ligne 19. Maurois est un admirateur de Proust.

28. **Andromaque:** tragédie de Racine. Andromaque, veuve d'Hector qui fut tué sous les murs de Troie, est tenue captive par le vainqueur, Pyrrhus, qui l'aime et la poursuit d'un amour d'autant plus violent qu'elle le repousse.

En même temps, Hermione lutte pour reconquérir le cœur de Pyrrhus qu'elle aime et qui la dédaigne pour Andromaque, tandis que, par comble d'ironie, Hermione est elle-même follement aimée d'Oreste, fils d'Agamemnon, envers qui elle demeure indifférente.

## Page 53

8. **La Princesse de Clèves:** roman de Mme de la Fayette publié en 1678. Le principal personnage, Mme de Chartres, a épousé sans amour, sur les instances de sa mère, le tendre et loyal prince de Clèves. Honnêtement, elle lui avoue qu'elle aime le duc de Nemours. M. de Clèves pardonne, mais meurt de douleur. Sa veuve refuse d'épouser le duc et finit ses jours dans un cloître.

8. **Lys dans la Vallée:** voir note, page 48, ligne 12.

## Page 54

9. **Philéas Fogg:** personnage d'un roman célèbre de Jules Verne (1828–1905), *le Tour du Monde en 80 Jours.*

11. **Havre:** le Havre, port de mer à l'embouchure de la Seine.

20. **Proust:** voir note, page 22, ligne 19.

## Page 55

16. **Ile-de-France:** grand et luxueux paquebot de la Compagnie Générale Transatlantique (French Line).

28. **Waldo Frank:** essayiste, romancier et écrivain de théâtre américain très connu en Europe et dans l'Amérique du Sud (1889–    ). Pendant la guerre mondiale il refusa de se battre.

29. **Sinclair Lewis:** le premier Américain à qui fut décerné le prix Nobel pour la littérature, est né à Sauk Center, Minnesota, en 1885. Parmi ses œuvres se trouvent *Main Street, Babbitt, Arrowsmith, Dodsworth, Ann Vickers,* etc. Il est très connu en France.

## Page 56

25. **bien portant:** en anglais, *in good health.*

### Page 57

7. **Aristote:** célèbre philosophe grec, né à Stagire, en Macédoine. Il fut une des intelligences les plus vastes qui aient jamais existé. (384–322 avant J.-C.)

8. **chevaléité:** terme créé qui doit être compris comme: l'espèce chevaline. En anglais, *all horses.*

### Page 58

5. **le Freudisme:** Sigmund Freud, fondateur de la psychoanalyse, est né en Moravie en 1856 de parents juifs. Il a passé la plupart de sa vie à Vienne.

5. **Conduitisme:** synonyme de behaviourisme.

20. **Voltaire:** voir note, page 88, ligne 1.

20. **Descartes:** philosophe, physicien et géomètre français dont les données mathématiques servirent de base à la psychologie moderne. Il est l'auteur du *Discours de la méthode,* des *Méditations métaphysiques,* etc.

### Page 59

5. **Babbitt:** Le roman *Babbitt* de Sinclair Lewis (voir note, page 55, ligne 30) a été traduit en français et est devenu très populaire en France. Pour beaucoup d'Européens, Babbitt est l'Américain type.

17. **comblées:** en anglais, *loaded with favors.*

24. **Alain:** Alain (Émile Chartier), né en Normandie en 1868. Professeur de philosophie au lycée de Rouen, il a exercé une influence profonde sur le jeune Maurois. Très populaire en France, il est un des chefs intellectuels de son pays. La plupart de ses écrits, articles sur la philosophie, les sciences, la politique, la morale, l'art, etc. composent les *Propos d'Alain.*

### Page 60

7. **Et si:** *and what if.*

### Page 61

8. **Nous serons mangés par ces gens-là:** Pour mieux comprendre les Français qui croient que l'Amérique sera cause un jour de la débâcle de la civilisation de l'Europe, il faut lire un livre tel que *Scènes de la Vie future* (*America the Menace*) de Georges Duhamel. M. Duhamel décrit avec une habileté magistrale les pires aspects de la civilisation américaine qui, croit-il, va engloutir la vieille civilisation européenne. Duhamel a été élu à l'Académie française en 1935.

### Page 62

8. **Joseph Bédier:** médiéviste français et membre de l'Académie française, né à Paris en 1864.
18. **Châteauroux:** chef-lieu du département de l'Indre.
19. **Avallon:** chef-lieu d'arrondissement de l'Yonne.

### Page 63

17. **je ne sais plus:** en anglais, *I no longer know what to think.*
21. **Keyserling:** voir note, page 22, ligne 16.
22. **Siegfried:** André Siegfried, né au Havre en 1875, a écrit beaucoup sur les États-Unis et le Canada. Il est aussi très connu pour ses biographies.
22. **Romier:** Lucien Romier, né en 1885, économiste, historien, et critique, a écrit sur la civilisation moderne en Europe et en Amérique.
22. **Luc Durtain:** Luc Durtain, auteur et voyageur, a écrit des livres sur l'Amérique. Il est né en 1881.

### Page 67

3. **d'autant plus précises que mon ami n'a jamais traversé l'Atlantique:** en anglais, *all the more precise because my friend has never crossed the Atlantic.*
13. **Vous ne reviendrez pas vivant:** voir note, page 61, ligne 8.

### Page 68

23. **Tours:** ancienne capitale de la Touraine, actuellement chef-lieu du département d'Indre-et-Loire.
24. **Avranches:** vieille ville dans le département de la Manche.

### Page 69

6. **Balzac:** voir note, page 48, ligne 11.
7. **Touraine:** ancienne province de France dont la capitale était Tours.
7. **Poitou:** ancienne province de France dont la capitale était Poitiers.
8. **Voilà pour le bruit:** en anglais, *so much for the noise.*
19. **Marcel Proust:** voir note, page 22, ligne 19.
19. **Balzac:** voir note, page 48, ligne 11.
19. **Flaubert:** voir note, page 32, ligne 22.
19. **Sinclair Lewis:** voir note, page 55, ligne 29.
20. **André Siegfried:** voir note, page 63, ligne 22.

## Page 70

18. **gangsters:** mot américain qui commence à se faire connaître en Europe.

23. **Morand:** voir note, page 22, ligne 16.

27. **Burke:** Edmund Burke, écrivain et homme politique anglais, né à Dublin en 1728 et mort en 1797. Il essaya d'empêcher la guerre de la Révolution américaine en soutenant les protestations des chefs coloniaux auprès du Parlement anglais.

## Page 71

8. **Ile-de-France:** pays de l'ancienne France dont la capitale était Paris.

10. **Corot:** Jean Baptiste Corot, célèbre paysagiste français né à Paris (1796–1875). Il se distingue par la sérénité de ses ciels, par le charme poétique de sa lumière voilée.

10. **Monet:** Claude Monet, peintre impressioniste (1840–1926).

## Page 72

12. **Calvin:** Jean Calvin (1509–1564), propagateur de la Réforme en France et en Suisse, chef des calvinistes. On donna en France le nom de huguenots à ses disciples. Le calvinisme est répandu surtout en Suisse, en Hollande, en Hongrie et en Écosse. Calvin est l'auteur de l'*Institution chrétienne.*

30. **C'est à peine si les prédicateurs, à New-York, osent l'employer:** en anglais, *the preachers at New York hardly dare to use it.*

## Page 73

7. **un peu partout:** en anglais, *almost everywhere.*

10. **le cynisme de l'après-guerre:** en anglais, *post-war cynicism.*

11. **Freud:** voir note, page 58, ligne 5.

25. **Babbitt:** voir note, page 59, ligne 5.

29. **Bourget:** Paul Bourget (1852–1935), critique et romancier français, membre de l'Académie française. Ses romans sont remarquables par la sûreté de l'analyse psychologique.

## Page 74

3–4. **Thomas Beer:** romancier et revuiste né à Council Bluffs, Iowa, en 1889.

5. **Bastille:** vieille forteresse à Paris employée comme prison sous l'ancien régime. Devenue le symbole de l'absolutisme royal, la Bastille fut prise et détruite par le peuple de Paris le 14 juillet 1789. A cause de la valeur symbolique de cet acte la France a choisi le 14 juillet comme fête nationale.

18. **Walter Lippmann:** économiste et journaliste américain, né le 23 septembre 1889. Il a étudié à Harvard surtout la philosophie

et la psychologie. Pendant la guerre mondiale il était en Europe comme correspondant. Il a été un des rédacteurs de la *New Republic*. Actuellement il écrit pour le *New York Herald Tribune*. Son livre le plus connu est *A Preface to Morals*.

### Page 75

1. **s'arrêtent net:** en anglais, *stop short*.
20. **cabane:** voir note, page 7, ligne 22.

### Page 78

17. **la Princesse de Clèves:** voir note, page 53, ligne 8.
22. **Chrestien de Troyes:** poète et romancier du douzième siècle. Ses principaux titres de gloire sont ses romans bretons, par lesquels il a propagé en France la théorie de l'amour chevaleresque.
25. **Nouvelle Héloïse:** *Julie ou la Nouvelle Héloïse*, roman d'amour écrit de 1757 à 1759 par J. J. Rousseau. C'est une des meilleures de ses œuvres.
25. **Bovary:** *Madame Bovary*, roman de Gustave Flaubert, l'un des chefs-d'œuvre de l'école réaliste. Voir note, page 32, ligne 22.

### Page 79

1. **Siegfried:** voir note, page 63, ligne 22.

### Page 80

8. **Louis XIV:** fils de Louis XIII et Anne d'Autriche, roi de France de 1643 à 1715. Le mot célèbre qu'on lui prête: « L'État, c'est moi ! » exprime bien le principe dirigeant de sa politique. Intelligent et vigoureux, il réussit à bien organiser le gouvernement français. Il encouragea le commerce, l'industrie, et les arts, mais ses guerres finirent par épuiser la France.
8. **Napoléon:** voir note, page 28, ligne 21.
20. **Louis XI:** roi de France de 1461 à 1483. Il força à l'obéissance tous les princes entre lesquels la France était partagée. A ce titre il doit figurer parmi les fondateurs de l'unité nationale.
30. **John B. Smith VII:** Il est intéressant de noter que John Jacob Astor III a donné à son fils, né en 1935, le prénom de *William*. Il disait: « I want him to be just plain William ».

### Page 81

1. **mutatis mutandis:** en changeant ce qui doit être changé.
6. **Wall Street:** le centre du district financier de New-York.
8. **Park Avenue:** demeure de beaucoup de gens qui appartiennent au « beau monde » de New-York.
11. **Henry d'Angleterre:** Henry III.

12. **Dagobert:** roi des Francs, mort en 638. Il fut le dernier des Mérovingiens qui sut tenir le sceptre d'une main ferme, et après lui les maires du palais s'emparèrent du pouvoir. Il bâtit la basilique de St.-Denis. Il y a des légendes sur lui et son ministre St.-Éloi.

20. **Tammany:** Tammany Hall, club politique qui a généralement exercé une influence dominante sur le parti démocratique dans la ville de New-York.

25. **racketeer:** Ce mot, bien entendu, n'est pas français, mais beaucoup de Français le comprennent.

## Page 82

4. **cambriolage à main armée:** en anglais, *armed robbery.*

15. **Montmorency:** illustre famille française dont plusieurs membres furent célèbres. L'un d'eux, comte de Montmorency-Boutteville, malgré la défense de Louis XIII, se battit en duel à la place royale de Paris et tua son adversaire. Condamné à mort pour désobéissance au roi, il eut la tête coupée.

16. **Richelieu:** Armand-Jean du Plessis, Cardinal de Richelieu, (1585–1642), ministre de Louis XIII, un des plus grands hommes d'État qu'ait eus la France. Il travailla à l'unification de son pays et à l'abaissement de la maison d'Autriche. Il fonda l'Académie française.

17. **corvéables à merci:** en anglais, *subject to unlimited taxation.*

## Page 83

2. **qu':** en anglais, *whether.*

9. **Keyserling:** voir note, page 22, ligne 16.

23. **vont s'effaçant:** en anglais, *are fading away.*

## Page 84

4. **sans doute:** en anglais, *of course, to be sure.*

22. **la Princesse de Clèves:** voir note, page 53, ligne 8.

## Page 85

2. **Coup de sonnette:** en anglais, *The bell rings.*

18. **la Princesse de Clèves:** voir note, page 53, ligne 8.

19. **Moitié, moitié:** en anglais, *pretty well.*

28. **Phèdre:** tragédie de Racine écrite en 1677. Phèdre, l'épouse de Thésée, roi d'Athènes, aime le fils du roi, Hippolyte, qui repousse les avances de sa belle-mère.

28. **M. Coindreau:** Maurice Edgar Coindreau, professeur de français à Princeton.

### Page 86

5. **Thésée:** époux de Phèdre, voir note, page 85, ligne 28.
6. **Hippolyte:** fils de Thésée, aimé par sa belle-mère. Voir note, page 85, ligne 28.
8. **Racine:** Jean Racine (1639–1699), célèbre poète tragique français. Il a réalisé presque à la perfection l'idéal de la tragédie classique.

### Page 87

1. **Précieuses:** Durant la première moitié du dix-septième siècle les femmes qui se piquaient de délicatesse et d'élégance, soit dans les sentiments, soit dans les manières et dans le langage, prirent le nom de « précieuses ». D'abord elles réagissaient contre la brutalité des mœurs amenée par les guerres de religion en France. Molière a raillé leur affectation dans sa pièce, *les Précieuses ridicules*.
1. **Hôtel de Rambouillet:** célèbre foyer littéraire, demeure de la marquise de Rambouillet (1588–1665), une des femmes les plus célèbres du dix-septième siècle littéraire. Dans cet hôtel à Paris (détruit lors de l'achèvement du Louvre) elle recevait les plus grands hommes de lettres de son temps et les « précieuses ».
4. **Louis XIV:** voir note, page 80, ligne 8.
8. **spinoziste:** partisan du spinozisme. Baruch Spinoza fut un philosophe hollandais dont le système est la forme la plus rigoureuse du panthéisme.
10. **Candide:** conte philosophique de Voltaire qui parut en 1759. Parmi les personnages se trouvent un jeune homme, Candide; le docteur Pangloss, qui prétend que tout est bien; et le docteur Martin, qui soutient que tout est mal. Croyant que « tout est pour le mieux dans le meilleur des mondes possibles » Candide et ses amis se mettent à faire le tour du monde. Après avoir traversé une horrible série de malheurs Candide achète une métairie et s'y retire avec Pangloss et Martin. Désabusé par ses expériences, Candide trouve le bonheur en cultivant ses terres, mais ses deux amis passent leur temps à essayer de se prouver, l'un que tout est bien, l'autre que tout est mal.

Le *Literary Guild* a choisi une traduction de Candide en 1929.

16. **Cocteau:** Jean Cocteau, romancier, poète et auteur de pièces de théâtre parisien, né en 1891.

### Page 88

1. **Voltaire:** (François-Marie Arouet) (1694–1778), célèbre poète et prosateur français, membre de l'Académie française. Il passa la plus grande partie de sa vie à Ferney, près du lac de Genève, fournissant la production littéraire la plus considérable et surtout la plus variée qu'aucun écrivain n'ait jamais donnée. Par ses écrits contre l'intolérance et les abus sociaux de son temps il a contribué à provoquer la Révolution française.
17. **excitement:** mot anglais.

### Page 89

31. **Eldorado:** pays chimérique visité par Candide et dont tous les habitants seraient riches et heureux.

### Page 90

1. **Flaubert:** voir note, page 32, ligne 22.
1. **Zola:** Émile Zola (1840–1902), romancier français de l'école naturaliste. Dans ses œuvres on trouve un matérialisme et un pessimisme dont se dégage une sorte d'idéalisme humanitaire. Dans l'affaire Dreyfus il était un ardent défenseur de l'accusé. Parmi ses œuvres *Germinal*, *l'Assommoir* et *la Débâcle* sont surtout connues aux États-Unis.
1. **Bourget:** Paul Bourget. Voir note, page 73, ligne 29.
2. **France:** Anatole France (1844–1924), poète et littérateur parisien. Membre de l'Académie française. Auteur d'œuvres d'une délicate ironie et d'un scepticisme tendre.
2. **Proust:** voir note, page 22, ligne 19.
2. **André Gide:** auteur de romans psychologiques. Après avoir subi l'influence du symbolisme il s'est tourné vers l'idéal de la pureté classique (1869–1934).
9. **Balzac:** voir note, page 48, ligne 11.
10. **Stendhal:** voir note, page 52, ligne 26.

### Page 91

6. **campus:** Ce mot n'est pas français.

### Page 92

15. **Beethoven:** voir note, page 20, ligne 29.
17. **primitifs italiens:** peintres et sculpteurs qui ont précédé les maîtres de la Renaissance.
18. **Anatole France:** voir note, page 90, ligne 2.

### Page 93

7. **Pirandello:** Luigi Pirandello, dramaturge et romancier né en Sicile en 1867. Il a reçu le prix Nobel pour la littérature en 1934.
7. **Tchékhov:** Anton Pavlovitch Tchékhov, romancier et dramaturge russe (1860–1904).
15. **la Sorbonne:** voir note page 37, ligne 30.
15. **Nancy:** chef-lieu du département de Meurthe-et-Moselle et ancienne capitale de la Lorraine. Elle fut embellie par Stanislas Leczinski, beau-fils de Louis XV. Il y a une université à Nancy.

### Page 95

14. **salaire . . . traitement:** Notez la différence entre **salaire** et **traitement.** **Salaire** veut dire généralement *wages* tandis que **traitement** se traduit par *salary.*

### Page 96

8. **ne:** On doit employer **ne** devant un verbe qui suit une comparaison.

### Page 97

10. **Spinoza:** Baruch Spinoza, philosophe, originaire d'une riche famille juive, né à Amsterdam en 1632, mort à la Haye en 1677. Voir note, page 87, ligne 8.
15. **Wall Street:** voir note, page 81, ligne 6.

### Page 98

1. **Keyserling:** voir note, page 22, ligne 16.
20. **Shelley:** voir note, page 32, ligne 14.
20. **Byron:** voir note, page 22, ligne 27.
25. **Stendhal:** voir note, page 52, ligne 26.

### Page 100

2. **Chat échaudé,** etc.: *a burnt child dreads the fire.*

### Page 101

4. **un bon garçon:** en anglais, *a good fellow.*

### Page 103

8. **pension alimentaire:** en anglais, *alimony.*

### Page 108

1. **Babbitt:** roman de Sinclair Lewis. Voir notes, page 55, ligne 29; page 59, ligne 5.
20. **Léon Bérard:** conseiller général, député des Basses-Pyrénées, et ancien ministre de l'instruction publique. Élu à l'Académie française en 1934.

### Page 109

29. **sacrifie pour toi:** Notez que Maurois a écrit ce livre au temps de la prohibition.

### Page 110

12. **Ernest Hemingway:** poète, nouvelliste et romancier né à Oak Park, Illinois, en 1898. Il a écrit *A Farewell to Arms*, *The Sun Also Rises*, etc.

13. **John Dos Passos:** essayiste, poète, écrivain de pièces de théâtre, biographe et romancier américain. Parmi ses œuvres se trouvent *Manhattan Transfer*, *The Orient Express*, *The Garbage Man*, etc. Il est né en 1896.

13. **Thomas Wolfe:** Né à Asheville, North Carolina, en 1900. Auteur de *Look Homeward Angel*, *Of Time and the River*, etc.

14. **Glenway Wescott:** né à Kewaskum, Wisconsin, en 1901, il habite maintenant la France. Parmi ses œuvres se trouvent *The Apple of the Eye*, *Natives of the Rock*, *The Babe's Bed*, etc.

14. **Michael Gold:** écrivain radical (1896– ), éditeur de *The New Masses*.

14. **George Davis:** auteur de *The Opening of the Door*, etc. Né à Chicago en 1906.

15. **Willa Cather:** poétesse et romancière née à Winchester, Virginia, en 1896. Ses romans traitent surtout de l'ouest et du sud-ouest des États-Unis. Une liste de ses œuvres comporte *O Pioneers*, *My Antonia*, *Song of the Lark*, *One of Ours*, *Death Comes for the Archbishop*, etc.

15. **Thornton Wilder:** romancier américain né à Madison, Wisconsin, en 1897. Pendant cinq ans il a été professeur d'anglais à la Lawrenceville School. Aujourd'hui il consacre son temps à la littérature. Connu d'abord pour *The Bridge of San Luis Rey*, il a écrit aussi *The Woman of Andros*, *The Angel That Troubled the Waters*, etc.

16. **Louis Bromfield:** impresario et rédacteur né en 1896 à Mansfield, Ohio. Devenu célèbre par *The Green Bay Tree*, détenteur du prix Pulitzer après la publication de *Early Autumn*. Il a écrit aussi *Awake and Rehearse*, *The House of Women*, etc.

16. **Christopher Morley:** né en 1890 à Haverford, Pennsylvania d'un père professeur à Johns Hopkins et d'une mère poétesse et musicienne, tous les deux sujets anglais. Lauréat de la bourse Rhodes, il est poète, musicien, essayiste, et romancier. Auteur de *Parnassus on Wheels*, *The Haunted Bookshop*, *Thunder on the Left*, etc.

17. **Sinclair Lewis:** voir note, page 55, ligne 29.

17. **Sherwood Anderson:** poète, essayiste, romancier, né à Camden, Ohio, en 1876. Auteur de *Marching Men*, *Poor White*, *Horses and Men*, *Dark Laughter*, etc.

18. **Dreiser:** Theodore Dreiser, essayiste, critique et romancier né à Terre Haute, Indiana, en 1871. Auteur de *Sister Carrie*, *The Financier*, *A Book About Myself*, *An American Tragedy*, etc.

19. **T. S. Eliot:** poète, essayiste et critique né à St. Louis, Missouri en 1888. Époux d'une Anglaise, il est maintenant citoyen de l'Angleterre. Auteur de *Ash Wednesday*, *Poems 1909–1925*, *Dante*, *Murder in the Cathedral*, etc.

19. **Stephen Benét:** poète né à Bethlehem, Pennsylvania, en 1898. Auteur de *John Brown's Body*, etc.

19. **Walter Lippmann:** voir note, page 74, ligne 18.
20. **Thomas Beer:** né à Council Bluffs, Iowa, en 1889. Il a écrit des articles pour *Smart Set*, *The Saturday Evening Post*, *Century*, etc. Auteur de *The Mauve Decade*, *The Road to Heaven*, *Hanna*, etc.
20. **Edmund Wilson:** né à Red Bank, New Jersey, en 1895. Rédacteur de *Vanity Fair*. A écrit pour *The New York Sun* et *The New Republic*. Connu comme critique juste mais sévère, auteur de *Axel's Castle*.
21. **J. W. Krutch:** critique et essayiste né à Knoxville, Tennessee, en 1893. Un des fondateurs de la *Literary Guild of America*. Il a écrit *The Modern Temper*, *Five Masters: A Study of the Mutations of the Novel*, etc.
21. **Eugène O'Neill:** voir note, page 28, ligne 20.
22. **Elmer Rice:** Après avoir fait des études en droit Elmer Rice a réussi comme écrivain de théâtre. Parmi ses œuvres on peut citer *On Trial*, *Street Scene*, *Councilor at Law*, *The Left Bank*, etc. Il est né à New-York en 1892.

### Page 111

1. **Virginia Woolf:** voir note, page 22, ligne 17.
2. **André Gide:** voir note, page 90, ligne 2.
2. **Thomas Mann:** voir note, page 22, ligne 16.
14. **freudisme:** voir vocabulaire et note, page 58, ligne 5.
14. **behaviourisme:** mouvement psychologique dont le chef américain est le professeur Watson.
15. **Babbitt:** Irving Babbitt, éducateur et critique américain (1865–1933).
15. **Einstein:** voir note, page 30, ligne 6.

### Page 113

2. **persimmons:** Ce fruit n'existe pas en France. Par conséquent Maurois se sert du mot américain.
10. **hérésies culinaires:** Quoique la préparation de la nourriture soit un art chez les Français, ils aiment la simplicité dans la cuisine. Ils préfèrent servir un mets tout seul et ne pas faire de mélanges bizarres.
15. **miche:** La miche est une sorte de pain rond — en usage dans les villages chez les cultivateurs.
23. **tweeds, plus fours:** mots anglais adoptés tout récemment par les Parisiens.

### Page 114

14–15. **Cambridge ou d'Oxford:** les célèbres universités anglaises.
20. **anciens:** en anglais, *upper classmen*.

### Page 115

2. **Louis XIV**: voir note, page 80, ligne 8.
3. **la Fronde**: guerre civile qui eut lieu en France pendant la minorité de Louis XIV.

### Page 116

1–2. **Gramont... La Rochefoucauld**: célèbres familles françaises.
3. **John Jacob Astor XVII**: voir note, page 80, ligne 30.
4. **Henri XXIII** de Reuss: chef d'une célèbre famille allemande.
6. **butlers**: butler, maître d'hôtel d'une grande maison, majordome.
8. **Swann**: personnage dans les œuvres de Proust.
12. **Marcel Proust**: voir note, page 22, ligne 19.
19. **Académie française**: groupe de quarante hommes éminents chargés surtout de la rédaction du Dictionnaire. L'Académie française fut fondée par Richelieu en 1635.

### Page 117

8. **Ovide**: Publius Ovidius Naso, (43 avant J.-C. à 16 après J.-C.), poète latin, très gracieux et brillant, qui est surtout célèbre pour ses *Métamorphoses*. Dans notre texte il s'agit de son *Ars amatoria*.

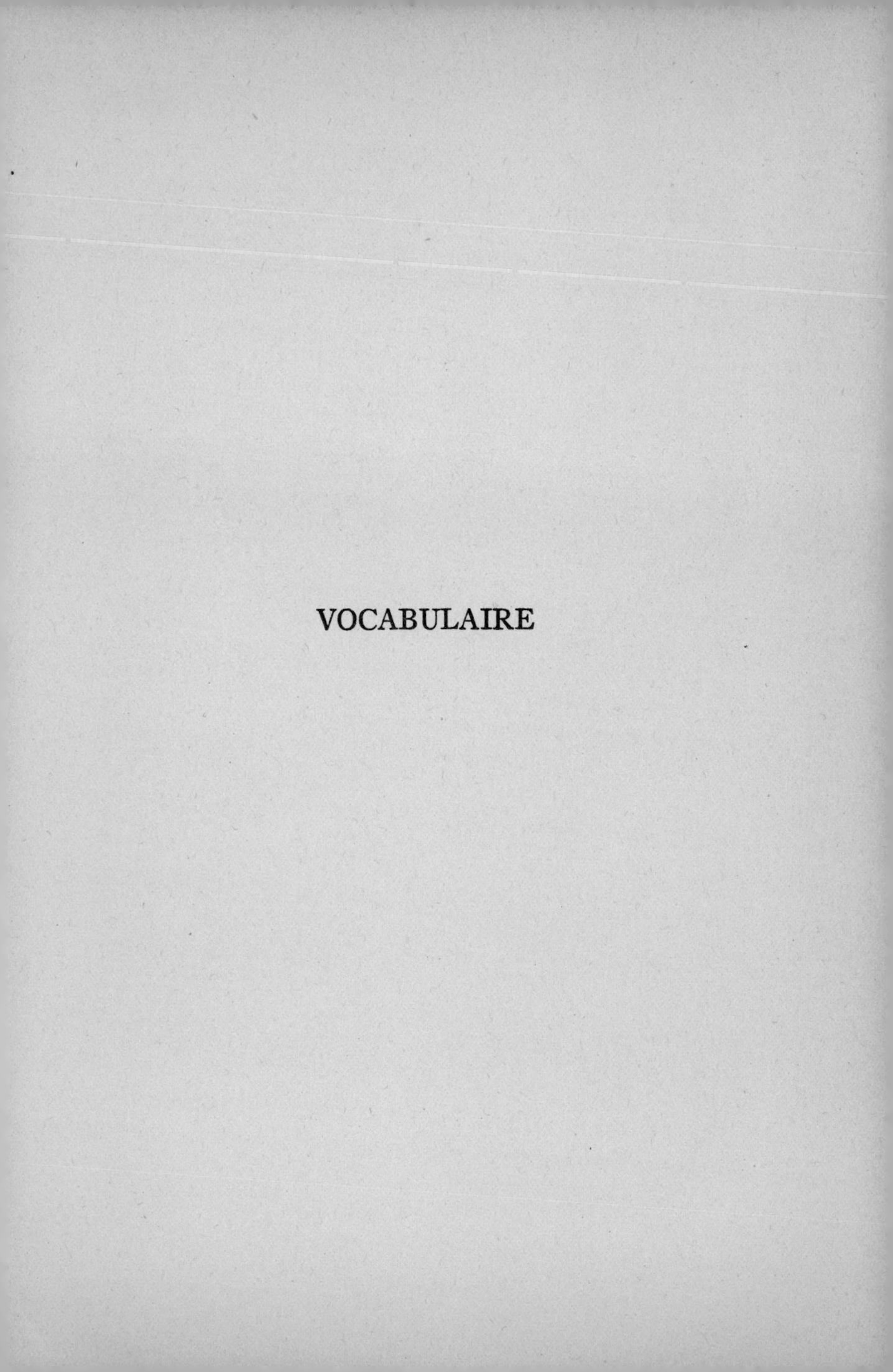

# VOCABULAIRE

# VOCABULAIRE

## A

**à,** to, for, at, in, on, from, about, with
**abaisser,** to lower
**abaissement,** *m.*, lowering, falling, subsiding, sinking
**abandonner,** to give up, surrender, abandon
**abattoir,** *m.*, slaughterhouse
**abattre,** to knock down, cut down, bring down
**abbé,** *m.*, priest, abbot
**abondance,** *f.*, abundance, plenty
**abondant, –e,** abundant, plentiful
**abord,** first; **d'—,** at first
**aborder,** to approach, accost, handle, face, land, arrive at
**abri,** *m.*, shelter
**abriter,** to give shelter
**absence,** *f.*, absence, lack
**absent,** *m.*, absent one, absent person
**absent, –e,** absent
**absolu, –e,** absolute, sure, entire
**absolument,** absolutely
**absolutisme,** *m.*, absolutism
**absorber,** to absorb
**s'abstenir,** to abstain, refrain
**abstraction,** *f.*, abstraction
**absurde,** *m. or f.*, absurd
**abus,** *m.*, abuse, misuse
**académie,** *f.*, academy
**académicien,** *m.*, academician, member of the French Academy
**accablé, –e,** overwhelmed, overloaded
**accabler,** to overwhelm
**accélérer,** to hasten, accelerate
**accent,** *m.*, accent
**acceptable,** *m. or f.*, acceptable
**accepter,** to accept, receive
**accès,** *m.*, approach, access, fit
**accessible,** *m. or f.*, accessible
**acclamer,** to acclaim, applaud
**acclimater,** to acclimate; **s'—,** to become acclimated
**accompagner,** to accompany
**accomplir,** to fulfil, accomplish, do, bring about; **s'—,** to be brought about, be accomplished
**accomplissement,** *m.*, fulfillment, accomplishment
**accord,** *m.*, understanding, agreement, accord, harmony, chord (music)
**accorder,** to grant, accord, reconcile, tune (music); **s'— avec,** to agree with
**accoutumer,** to accustom
**accroché, –e,** caught
**accrocher,** to hang, hook; **s'— à,** to cling to
**accrocheu–r, –se,** arresting
**accroissement,** *m.*, increase
**accroître,** to increase; **s'—,** to increase, swell
**accueillir,** to receive, welcome
**accumulé, –e,** accumulated
**accumuler,** to accumulate, gather, collect
**accusé,** *m.*, defendant, prisoner at the bar
**accuser,** to accuse, acknowledge
**achat,** *m.*, purchase
**acheminer,** to dispatch, convey, transport; **s'—,** to take the direction, move forward, proceed
**acheter,** to buy, purchase
**achever,** to finish, end, complete
**achèvement,** *m.*, completion, finishing
**acier,** *m.*, steel

**acquérir,** to acquire, win, obtain; **s'—,** to be got *or* acquired
**acquisition,** *f.*, acquisition, purchase
**acte,** *m.*, act
**acti-f, -ve,** active
**action,** *f.*, action, act, share (of stock)
**activité,** *f.*, activity
**actrice,** *f.*, actress
**actuel, -le,** actual, real, present
**actuellement,** (just) now, at present
**adapter,** to adapt
**adaptation,** *f.*, adaptation, adjustment
**adieu,** *m.*, farewell, goodbye
**adjectif,** *m.*, adjective
**admettre,** to admit, allow, concede, adopt, recognize
**administrer,** to manage, administer, rule
**admirable,** *m. or f.*, admirable, noteworthy, worthy, wonderful
**admirablement,** admirably
**admirateur,** *m.*, admirer
**admiration,** *f.*, admiration
**admirer,** to admire
**adolescence,** *f.*, adolescence
**adolescent, -e,** adolescent
**adopter,** to adopt
**adoption,** *f.*, adoption, passage (of a law)
**adorer,** to adore, worship
**adresse,** *f.*, address, skill, shrewdness, destination
**adresser,** to address, direct; **s'—,** to address oneself, appeal
**adroit, -e,** skillful
**adroitement,** skillfully, cleverly
**adultère,** *m.*, adultery
**adversaire,** *m.*, adversary
**adverse,** *m. or f.*, adverse, opposite
**adversité,** *f.*, adversity
**aérien, -ne,** aërial
**affaire,** *f.*, business, affair
**affectation,** *f.*, affectation, conceit
**affecter,** to affect
**affiche,** *f.*, poster, signboard
**afficher,** to display
**s'affiner,** to be refined
**affirmation,** *f.*, affirmation
**affranchir,** to free, set free
**affreu-x, -se,** terrible, hideous, frightful
**afin:** **— de,** to, in order to, so as to; **— que,** in order that, so that
**âge,** *m.*, age; **moyen-—,** Middle Ages
**âgé, -e,** old, aged
**agence,** *f.*, agency
**s'agenouiller,** to kneel
**agent,** *m.*, agent, policeman
**agile,** *m. or f.*, agile, nimble, active, quick
**agir,** to act; **il s'agit de,** the question is, it is a question of, it is about
**agitation,** *f.*, agitation
**agiter,** to agitate, stir, disturb
**agréable,** *m. or f.*, agreeable, pleasant
**agrégé,** *m.*, fellow (of a university), professor
**agricole,** *m. or f.*, agricultural
**ah,** ah
**aide,** *f.*, aid, help, assistance
**aider,** to aid, help, assist
**aile,** *f.*, wing, branch (of study)
**ailleurs,** elsewhere, somewhere else, anywhere else; **par —,** *or* **d'—,** besides, moreover
**aimable,** *m. or f.*, pleasant, amiable, lovable
**aimé, -e,** loved, beloved
**aimer,** to love, like, be fond of
**aîné, -e,** elder, eldest
**ainsi,** so, thus, in this way; **— que,** as well as
**air,** *m.*, atmosphere, air, manner; **avoir l'— de,** to look like, seem; **en plein —,** in the open air
**aise,** *f.*, ease, joy, convenience
**aisé,** *m.*, one well circumstanced *or* independent
**aisé, -e,** easy
**aisément,** easily
**ajouter,** to add

**album,** *m.*, album, sketchbook
**alcool,** *m.*, alcohol
**allée,** *f.*, going, passage, lane, walk
**Allemagne,** *f.*, Germany
**Allemand, –e,** German (citizen of Germany)
**allemand, –e,** German
**aller,** to go; **s'en —,** to go away
**alliance,** *f.*, alliance
**allonger,** to stretch out
**alors,** then, at that time, now, in that case
**alors que,** even when, whereas
**allumer,** to light
**allure,** *f.*, pace, speed, gait; **à grande —,** at high speed
**amant,** *m.*, lover
**amateur,** *m.*, amateur, lover, fancier
**ambassadeur,** *m.*, ambassador, envoy
**ambition,** *f.*, ambition
**âme,** *f.*, soul
**améliorer,** to better, improve
**amener,** to bring, take, bring over, introduce, conduct, lead, lead up
**Américain, –e,** American (citizen)
**américain, –e,** American
**américanisation,** Americanizing
**américaniser,** to Americanize
**américanisme,** *m.*, Americanism
**Amérique,** *f.*, America; **— du Sud,** South America
**ami,** *m.*, friend
**amical, –e,** friendly, amicable
**amitié,** *f.*, friendship
**amour,** *m.*, love, passion
**amoureu–x, –se (de),** in love (with)
**amusant, –e,** amusing, interesting
**amusement,** *m.*, amusement
**amuser,** to amuse
**an,** *m.*, year
**analyse,** *f.*, analysis
**analyser,** to analyse
**anatomie,** *f.*, anatomy
**ancêtre,** *m. or f.*, ancestor
**ancien,** *m.*, elder, senior; **les —s,** the ancients, alumni
**ancien, –ne,** old, ancient, former
**anecdote,** *f.*, anecdote
**Anglais,** *m.*, Englishman
**anglais, –e,** English
**angle,** *m.*, corner, angle
**Angleterre,** *f.*, England; **Nouvelle —,** New England
**Anglo-Saxon,** *m.*, Anglo-Saxon
**angoisse,** *f.*, anguish, distress
**animal,** *m.*, animal
**animation,** *f.*, animation
**animé, –e,** animated, stimulated
**animer,** to animate, give life
**année,** *f.*, year
**anniversaire,** *m.*, anniversary
**annoncer,** to herald, announce
**annuel, –le,** annual
**anormal, –e,** abnormal
**antérieur, –e,** previous
**antiaméricain, –e,** anti-American
**antichambre,** *f.*, antechamber
**anticipation,** *f.*, anticipation
**antique,** *m. or f.*, ancient
**antiquité,** *f.*, antiquity
**anxiété,** *f.*, anxiety, uneasiness
**anxieu–x, –se,** anxious
**apercevoir: s'— de,** to see, perceive, notice
**apocalyptique,** *m. or f.*, apocalyptical, prophetic
**apparaître,** to appear, seem
**appareil,** *m.*, device, instrument, apparatus, appliance, equipment
**apparence,** *f.*, appearance
**apparent, –e,** apparent
**appartement,** *m.*, apartment
**appartenir,** to belong
**appel,** *m.*, appeal, call
**appeler,** to call
**appétit,** *m.*, appetite
**application,** *f.*, application
**appliquer,** to apply
**apporter,** to bring, bear, occasion
**apprécié, –e,** appreciated, esteemed
**apprécier,** to appreciate, value, esteem, appraise
**apprendre,** to learn, teach
**apprenti,** *m.*, apprentice

**apprentissage,** *m.*, apprenticeship
**approcher,** to draw near; **s'—,** to approach
**approfondir,** to deepen, fathom, examine thoroughly
**approprié, -e,** appropriate
**appui,** *m.*, support, stay, prop
**appuyer,** to lean, rest, prop, stay, support; **s'—,** to lean against, be supported
**âpre,** *m. or f.*, tart, biting, harsh
**après,** after, afterwards, from, according to
**après-dîner,** after-dinner
**après-midi,** *m. or f.*, afternoon
**âpreté,** *f.*, harshness, roughness, greediness
**aquarium,** *m.*, aquarium
**Arabe,** *m.*, Arab
**arabe,** *m. or f.*, Arabian, Arabic
**arbitre,** *m.*, will, umpire, referee; **libre —,** free will
**arbre,** *m.*, tree; **— de Noël,** Christmas tree
**arc,** *m.*, bow
**archevêque,** *m.*, archbishop
**architecte,** *m.*, architect
**architectural, -e,** architectural
**architecture,** *f.*, architecture
**ardent, -e,** ardent, heated
**ardeur,** *f.*, ardor
**argent,** *m.*, silver, money
**argile,** *f.*, clay
**aridité,** *f.*, aridity, dryness
**aristocratie,** *f.*, aristocracy
**aristocratique,** *m. or f.*, aristocratic
**arithmétique,** *f.*, arithmetic
**armature,** *f.*, framework
**arme,** *f.*, arm, weapon
**armé, -e,** re-enforced, armed
**armée,** *f.*, army, host
**armer,** to arm, fortify, prepare; **à main armée,** armed
**armure,** *f.*, armor
**arracher,** to pull out, drag, snatch, root out; **s'—,** to quarrel over, take away from one another
**arrêt,** *m.*, stop
**arrêter,** to stop, arrest, stay; **s'—,** to stop, pause, be stopped
**arrière,** *m.*, back part, rear; **en —,** backward
**arrivant,** *m.*, arrival
**arrivée,** *f.*, arrival, landing
**arriver,** to arrive, happen, succeed; **— à,** to succeed in
**arrondissement,** *m.*, administrative district, one of the main subdivisions of a department
**arroser,** to sprinkle, water, spread, cover
**art,** *m.*, art; **beaux-—s,** fine arts
**article,** *m.*, article
**artificiel, -le,** artificial
**artisan,** *m.*, artisan, craftsman
**artiste,** *m. or f.*, artist, actor; **— peintre,** artist, painter
**artistique,** *m. or f.*, artistic
**ascendant, -e,** ascending, upward
**ascenseur,** *m.*, elevator, lift
**ascension,** *f.*, ascent, climb
**ascétique,** *m. or f.*, ascetic
**Asie,** *f.*, Asia
**aspect,** *m.*, aspect
**asphalte,** *m.*, asphalt
**aspirer,** to aspire
**assassiner,** to assassinate, murder
**assaut,** *m.*, assault, attack
**asseoir,** to seat, fix; **s'—,** to sit down, be seated; **être assis,** to be seated
**assez,** fairly, well enough, pretty well, sufficient
**assidu, -e,** assiduous
**assidûment,** diligently, assiduously
**assiéger,** to besiege
**assiette,** *f.*, plate
**assimiler,** to assimilate
**assistance,** *f.*, assistance, aid, relief, audience; **Assistance Publique,** poor relief
**assistant,** *m.*, assistant
**assister,** to be present, witness
**association,** *f.*, association
**associé,** *m.*, associate, partner
**associer,** to associate, share, divide; **s'—,** to join, be associated
**assommoir,** *m.*, trap, black jack

**assouvir,** to satiate, surfeit, gratify
**assurance,** *f.*, assurance, pledge, insurance
**assurer,** to assure, ascertain, make sure, insure, guarantee
**assyrien, -ne,** Assyrian
**astre,** *m.*, star, constellation
**astronomique,** *m. or f.*, astronomical, fabulous
**atelier,** *m.*, workshop, studio
**athlétisme,** *m.*, athletics
**Atlantique,** *f.*, Atlantic Ocean
**atmosphère,** *f.*, atmosphere
**atome,** *m.*, atom
**atroce,** *m. or f.*, atrocious, odious, grievous
**attaché, -e,** attached, joined, bound in sympathy
**attachement,** *m.*, attachment, affection
**attacher,** to attach, tie, bind; **s'— à,** to adhere to, cleave to, concentrate upon
**attaque,** *f.*, attack, assault
**attaquer,** to attack, assault; **s'—,** to set upon, set to work
**atteindre,** to attain, reach
**attendre,** to wait, wait for, expect, await; **s'—,** to expect
**attente,** *f.*, expectation, hope
**attention,** *f.*, attention
**attirer,** to draw, attract; **s'—,** to attract
**attitude,** *f.*, attitude
**attraction,** *f.*, attraction
**attrait,** *m.*, attraction
**attrister,** to sadden, make sad
**auberge,** *f.*, inn, tavern
**aucun, -e,** any, no, none, no one, any other
**audace,** *f.*, audacity, boldness, daring
**audacieu-x, -se,** bold, daring
**au-delà,** beyond, farther on
**au-dessous (de),** below
**au-dessus (de),** above, over
**auditrice,** *f.*, listener, hearer, auditress
**augmenter,** to increase, augment
**aujourd'hui,** today
**aumône,** *f.*, alms
**auparavant,** before, formerly
**auprès (de),** with, near, in comparison with
**aussi,** also, so, as, as well, likewise, moreover; **— . . . que,** as . . . as
**aussitôt,** at once; **— que,** as soon as
**autant,** as much, as many, as far, as long; **d'— plus que,** all the more because; **d'— qu'à,** as well as in
**autel,** *m.*, altar
**auteur,** *m.*, author
**auto,** *m. or f.*, automobile
**autobiographique,** *m. or f.*, autobiographical
**automatiquement,** automatically
**automne,** *m. or f.*, autumn
**automobile,** *m. or f.*, automobile
**autour,** around; **— de,** around
**autre,** *m. or f.*, other, different; (*adv.*), otherwise
**autrefois,** formerly
**autrement,** otherwise, differently, on the other hand
**Autriche,** *f.*, Austria
**avance,** *f.*, advance, gain, start; **d'—,** in advance, ahead of time
**avant,** before, beforehand; **en —,** forward
**avantage,** *m.*, advantage
**avant-garde,** *f.*, vanguard
**avant-guerre: d'—,** pre-war
**avec,** with
**avènement,** *m.*, coming, arrival
**avenir,** *m.*, future
**aventure,** *f.*, adventure
**aventurier,** *m.*, adventurer
**avenue,** *f.*, avenue
**averti, -e,** well informed
**avertir,** to warn, inform
**avertissement,** *m.*, warning, advice, information, advertisement, admonition
**aveugle,** *m. or f.*, blind, ignorant
**avide,** *m. or f.*, thirsting for, avid, eager for
**avion,** *m.*, airplane
**avis,** *m.*, opinion, judgment, advice, notice, warning, news

**avocat,** *m.*, lawyer
**avocate,** *f.*, lawyer
**avoine,** *f.*, oats
**avoir,** to have, be the matter; **y —,** there to be, go, take place
**avouer,** to confess, admit
**avril,** *m.*, April

## B

**bacchante,** *f.*, bacchante
**bacon,** *m.*, bacon
**bagages,** *m. pl.*, baggage
**baigner,** to bathe
**baigneur,** *m.*, bather
**baignoire,** *f.*, bathtub
**bain,** *m.*, bath; **salle de —,** bathroom
**baiser,** to kiss
**baisse,** *f.*, fall, decline
**baisser,** to lower
**bal,** *m.*, ball
**balai,** *m.*, broom
**balancement,** *m.*, balancing, swaying, rocking
**se balancer,** to swing, rock
**balle,** *f.*, ball, bullet
**ballet,** *m.*, ballet
**ballon,** *m.*, balloon, football
**banal, –e,** common, commonplace
**bande,** *f.*, band, company, gang, troop, stripe
**bandeau,** *m.*, bandeau, plain moulding
**bandit,** *m.*, robber, bandit, highwayman
**banque,** *f.*, bank; **— d'épargne,** savings bank
**banquier,** *m.*, banker
**bar,** *m.*, liquor counter, bar
**barbare,** *m.*, barbarian
**barbare,** *m. or f.*, barbarous, savage
**barrière,** *f.*, rail, barrier, bar
**bas,** *m.*, stocking, hose
**bas, –se,** low
**base,** *f.*, base, basis, foundation
**baser (sur),** to base (upon)
**basilique,** *f.*, basilica
**Basses-Pyrénées,** *f. pl.*, Lower Pyrenees
**Bastille,** *f.*, Bastile
**bataille,** *f.*, battle
**bateau,** *m.*, boat, vessel; **— à vapeur,** *m.*, steamboat
**bâtiment,** *m.*, building, craft
**bâtir,** to build
**battre,** to beat; **se —,** to fight
**bavardage,** *m.*, prattling, babbling, gossip, garrulity
**bavarder,** to chat, talk
**béatitude,** *f.*, beatitude, bliss
**beau, bel, belle,** beautiful, fine, handsome, fair
**beaucoup,** much, very much, many
**beau-fils,** *m.*, son-in-law
**beauté,** *f.*, beauty, loveliness
**behaviourisme,** *m.*, behaviorism
**beige,** *m. or f.*, beige
**belge,** *m. or f.*, Belgian
**Belgique,** *f.*, Belgium
**belle-mère,** *f.*, stepmother, mother-in-law
**belliqueu–x, –se** warlike, bellicose
**bénéfice,** *m.*, benefit, advantage, profit
**bénir,** to bless
**bercer,** to rock
**béret,** *m.*, beret
**besogne,** *f.*, work, labor, job
**besoin,** *m.*, need; **au —,** if necessary, in case of need; **avoir —,** to need
**bête,** *f.*, beast, animal
**bête,** *m. or f.*, stupid
**béton,** *m.*, concrete
**Bible,** *f.*, Bible
**bibliothèque,** *f.*, library
**biblique,** *m. or f.*, biblical
**bicyclette,** *f.*, bicycle
**bien,** *m.*, good, good thing, possession, benefit, property
**bien,** good; *as adv.*, well, much, very, many, of course; **— entendu,** of course; **eh —,** well; **ou —,** or else
**bien que,** although
**bien-être,** *m.*, well-being, comfort
**bienfaisance,** *f.*, beneficence, magnificence

**bienfaisant, –e,** beneficial, beneficent, kind, charitable, gracious
**bienfait,** *m.*, favor, courtesy, kindness, advantage, benefit, good deed, pleasure
**bientôt,** soon
**bienveillance,** *f.*, kindness, benevolence, good will
**bienveillant, –e,** kindly, benevolent
**bienvenu, –e,** welcome
**bigarré, –e,** checked, checkered, streaked, multicolored
**bijou,** *m.*, jewel
**biographe,** *m.*, biographer
**biographie,** *f.*, biography
**billet,** *m.*, ticket
**biscuit,** *m.*, biscuit
**bizarre,** *m. or f.*, peculiar, strange, unusual
**blâmer,** to blame
**blanc, blanche,** white
**blanchir,** to whiten; **blanchi à la chaux,** whitewashed
**blasé, –e,** blasé
**blé,** *m.*, corn, grain, wheat
**blessé, –e,** wounded
**blessé,** *m.*, wounded man
**blesser,** to hurt, wound
**bleu, –e,** blue; **— ciel,** sky blue
**bloc,** *m.*, block, mass, pad (of paper)
**blond, –e,** fair, light (of color)
**bloqué, –e,** blocked, blockaded
**bloquer,** to block, blockade
**bobine,** *f.*, bobbin, spool, reel
**bœuf,** *m.*, beef
**boire,** to drink
**bois,** *m.*, wood, woods
**boisé, –e,** wooded
**boisson,** *f.*, drink
**boîte,** *f.*, box
**bolshevisme,** *m.*, Bolshevism
**bon,** good
**bond,** *m.*, bound, leap, jump
**bondir,** to bound, leap forward
**bonheur,** *m.*, happiness
**bonté,** *f.*, kindness, goodness
**bord,** *m.*, brim, rim, edge, side, bank (of a river), shore (of a lake *or* sea); **chapeau aux larges —,** wide-brimmed hat; **à — de,** on board
**border,** to border
**bordure,** *f.*, edge, edging, border
**borne,** *f.*, boundary, limit, milestone
**botanique,** *f.*, botany
**botanique,** *m. or f.*, botanical
**botaniste,** *m.*, botanist
**bouche,** *f.*, mouth
**boue,** *f.*, mud
**bouillie d'avoine,** *f.*, oatmeal
**bouillon,** *m.*, bouillon, broth
**bouillonner,** to bubble, boil, seethe
**boulanger,** *m.*, baker
**boulevard,** *m.*, boulevard
**bouleversement,** *m.*, overthrow, upset, upheaval
**bouleverser,** to upset, overthrow, revolutionize
**bourgeois,** *m.*, commoner, burgher, man of the middle class
**bourgeois, –e,** middle-class
**bourgeoisie,** *f.*, middle class
**Bourse,** *f.*, Stock Exchange
**bourse,** *f.*, purse, scholarship, pouch
**bousculer,** to throw into disorder, jostle, treat harshly
**boussole,** *f.*, compass
**bout,** *m.*, end, tip
**bouteille,** *f.*, bottle
**boutique,** *f.*, shop
**boxe,** *f.*, boxing
**boxeur,** *m.*, boxer
**branche,** *f.*, branch, **limb** (of a tree)
**bras,** *m.*, arm
**brave,** *m. or f.*, brave, courageous, good
**brèche,** *f.*, breach, flaw; **battre en —,** to batter in, breach
**bref, brève,** brief, short, briefly; **en —,** in short
**breton, –ne,** Breton
**breuvage,** *m.*, beverage
**brigand,** *m.*, brigand, highwayman
**brigandage,** *m.*, plunder, robbery

**brillant, –e,** bright, brilliant
**briller,** to shine, glisten, sparkle
**brin,** *m.*, blade (of grass)
**brique,** *f.*, brick
**briser,** to break, burst, crack, shatter, smash
**brochure,** *f.*, brochure, pamphlet
**brosser,** to brush
**brouillard,** *m.*, fog
**brousse,** *f.*, brushwood, undergrowth
**bruit,** *m.*, noise, talk
**brûler,** to burn, set on fire, consume
**brume,** *f.*, mist, haze
**brun, –e,** brown, brown-haired, dark
**brusque,** *m. or f.*, sudden, abrupt, unexpected
**brusquement,** abruptly
**brutal, –e,** brutal
**brutalité,** *f.*, brutality, harshness
**brute,** *f.*, beast
**bruyant, –e,** noisy, loud
**Bulgare,** *m.*, Bulgarian
**bureau,** *m.*, desk, office; — **de poste,** post office
**bureaucratie,** *f.*, bureaucracy
**buste,** *m.*, bust
**but,** *m.*, aim, goal, mark, object
**butler,** *m.*, butler (English word)
**buveur,** *m.*, drinker

## C

**ça = cela,** that
**cabane,** *f.*, cabin, hut
**cabine,** *f.*, cabin, stateroom; — **téléphonique,** telephone booth; — **de bains,** bath house
**cabinet,** *m.*, small room
**cachemire,** *m.*, cashmere
**cacher,** to hide, conceal, make a mystery of
**cadavre,** *m.*, corpse
**cadeau,** *m.*, gift
**cadre,** *m.*, frame, framework, bounds, limit
**café,** *m.*, coffee, café
**cahier,** *m.*, notebook, book (manuscript), paper book
**caillou,** *m.*, pebble
**calcul,** *m.*, arithmetic, calculation, ciphering, calculus
**calculé, –e,** calculated, planned, determined
**calculer,** to reckon, calculate
**calibre,** *m.*, caliber
**calme,** *m. or f.*, quiet, peaceful, calm
**calme,** *m.*, calm
**calorifère,** *m.*, furnace; — **à air chaud,** hot air furnace
**calvinisme,** *m.*, calvinism
**calviniste,** *m. or f.*, calvinist
**camarade,** *m. or f.*, comrade
**camaraderie,** *f.*, comradeship
**cambriolage,** *m.*, burglary; — **à main armée,** robbery, holdup
**camion,** *m.*, truck
**camp,** *m.*, camp, side
**campagnard, –e,** country man *or* woman, peasant; of the country
**campagne,** *f.*, country, country place, farm, campaign
**camper,** to camp
**canadien, –ne,** Canadian
**canal,** *m.*, canal
**canon,** *m.*, cannon, gun, barrel (of a gun)
**capable,** *m. or f.*, capable, fit, apt
**capitaine,** *m.*, captain
**capital,** *m.*, capital
**capital, –e,** capital, important, chief, leading
**capitale,** *f.*, capital city
**capitalisme,** *m.*, capitalism
**capitaliste,** *m.*, capitalist
**capituler,** to capitulate, surrender
**capti–f, –ve,** captive
**caprice,** *m.*, caprice, whim
**car** (*conj.*), for
**caractère,** *m.*, character, temper, disposition, aspect, characteristic
**caractériser,** to characterize
**caractéristique,** *m. or f.*, characteristic
**cardinal,** *m.*, cardinal

**cardinal, -e,** cardinal
**carnet,** *m.*, notebook, pad of paper; — **de chèques,** checkbook
**carreau,** *m.*, window pane
**carrière,** *f.*, career, quarry
**carte,** *f.*, card, map, chart
**carton,** *m.*, pasteboard, pasteboard box
**cas,** *m.*, case
**caserne,** *f.*, barracks
**casquette,** *f.*, cap
**catastrophe,** *f.*, catastrophe, disaster
**catégorie,** *f.*, category
**cathédrale,** *f.*, cathedral
**cause,** *f.*, cause, motive, ground, subject; **à — de,** because of, on account of
**causer,** to cause, speak, talk
**causerie,** *f.*, talk, conversation, chat
**cave,** *f.*, cellar, vault
**caverne,** *f.*, cavern, cave
**ce,** he, she, it, that, they, this
**ce, cet, cette, ces,** this, that, these, those
**ceci,** this
**céder,** to cede, yield, give up, concede
**cela,** that
**célèbre,** *m. or f.*, celebrated, famous, well known
**célébrer,** to celebrate
**céleste,** *m. or f.*, heavenly, celestial
**célibataire,** *m.*, bachelor
**cellule,** *f.*, cell
**celtique,** *m. or f.*, Celtic
**celui, celle, ceux, celles,** that one, who; **—-ci,** this particular one, the latter; **—-là,** that one, the former
**cendre,** *f.*, ashes, embers
**cent,** one hundred
**centaine,** *f.*, hundred
**centime,** *m.*, coin (worth 1/100 franc)
**centimètre,** *m.*, centimeter
**central, -e,** central
**centralisé, -e,** centralized, focused
**centraliser,** to centralize, focus
**centralisateur,** *m.*, centralizer
**centre,** *m.*, center, middle, central position
**cependant,** however, nevertheless, yet
**cerceuil,** *m.*, coffin
**cercle,** *m.*, circle, club
**cérémonial,** *m.*, ceremonial
**cérémonie,** *f.*, ceremony
**certain, -e,** certain, sure
**certainement,** certainly
**certes,** to be sure, indeed
**certitude,** *f.*, certainty
**cerveau,** *m.*, brain, mind, intelligence
**cesse,** *f.*, interruption, respite, intermission, rest, ceasing
**cesser,** to stop, cease, end, leave off
**ceux,** those
**chacun, -e,** each, each one, everyone
**chagrin,** *m.*, grief, sorrow, trouble
**chaîne,** *f.*, chain
**chaire,** *f.*, pulpit, professorship
**chaise,** *f.*, chair; — **longue,** lounging chair; — **à bascule,** rocking chair, barber's chair
**chaleur,** *f.*, heat, warmth
**chambre,** *f.*, room
**champ,** *m.*, field, meadow; — **clos,** lists (for combat)
**champion,** *m.*, champion
**chance,** *f.*, chance, luck
**changeant, -e,** changing
**changement,** *m.*, change, shifting, transformation, alteration
**changer,** to change, alter
**chanson,** *f.*, song, ballad
**chant,** *m.*, song, singing, hymn, cheer
**chanter,** to sing, extol, praise
**chanteur,** *m.*, singer
**chantier,** *m.*, yard, shipyard, lumber yard
**chapeau,** *m.*, hat; — **melon,** derby hat
**chapelain,** *m.*, chaplain
**chapelle,** *f.*, chapel

**chapîteau,** *m.*, capital, crest, top
**chaque,** *m. or f.*, each, every
**charbon,** *m.*, coal; **— de bois,** charcoal
**chargé, -e,** loaded, charged, commissioned
**charger,** to load, lade, weight, cram, fill; **être chargé de,** to have charge of; **se — de,** to undertake
**charité,** *f.*, charity
**charleston,** *m.*, charleston (a dance step)
**charmant, -e,** charming
**charme,** *m.*, charm
**charmer,** to charm, please
**chartreuse,** *f.*, chartreuse; a Carthusian monastery; a small country house; a celebrated liqueur
**chasse,** *f.*, hunt, hunting
**chasse-neige,** *m.*, snow plow
**chasser,** to hunt, expel, chase
**chasseresse,** *f.*, huntress
**chasseur,** *m.*, hunter
**chat,** *m.*, cat
**châtaignier,** *m.*, chestnut tree
**château,** *m.*, castle
**chaud, -e,** warm, hot
**chauffage,** *m.*, heating
**chauffer,** to heat; **se —,** to warm oneself
**chauffeur,** *m.*, chauffeur
**chaussée,** *f.*, road, road bed
**chaussure,** *f.*, shoes, footwear
**chaux,** *f.*, lime
**chef,** *m.*, chief, leader, head; **—-d'œuvre,** *m.*, masterpiece
**chef-lieu,** *m.*, chief town (of department)
**chemin,** *m.*, way, road; **— de fer,** railroad
**cheminée,** *f.*, chimney, fireplace
**cheminer,** to travel
**chemise,** *f.*, shirt
**chêne,** *m.*, oak tree
**chenille,** *f.*, caterpillar
**chèque,** *m.*, check
**cher, chère,** dear, expensive, high
**chercher,** to search, look for, seek; **— à,** to try to
**chester,** *m.*, Cheshire cheese
**cheval,** *m.*, horse
**chevaleresque,** gallant, courtly, knightly
**chevalet,** *m.*, easel
**chevalier,** *m.*, knight
**chevalin, -e,** equine
**chez,** at home, among, by, in
**chien,** *m.*, dog
**chiffon,** *m.*, rag, scrap
**chiffre,** *m.*, figure, cipher
**chimérique,** *m. or f.*, chimerical, illusory
**Chine,** *f.*, China
**chinois, -e,** Chinese
**chiquenaude,** *f.*, tap of the finger, fillip
**chocolat,** *m.*, chocolate
**chœur,** *m.*, choir, chorus
**choisir,** to select, choose
**choix,** *f.*, selection, choice, discernment
**chômage,** *m.*, unemployment
**chômer,** to be idle, unemployed
**chômeur,** *m.*, unemployed person
**choquant, -e,** shocking
**choquer,** to shock, knock
**chose,** *f.*, thing, affair, matter; **autre —,** something else
**chou,** *m.*, cabbage
**chrétien, -ne,** Christian
**chute,** *f.*, fall; **— de pluie,** rainfall
**ciel,** *m.*, sky, heaven; **à mi-—,** halfway to heaven
**cigarette,** *f.*, cigarette
**cimetière,** *m.*, cemetery
**cinéma,** *m.*, cinema, moving picture theater
**cinq,** five
**cinquantaine,** *f.*, about fifty
**cinquante,** fifty
**cinquième,** *m. or f.*, fifth
**cintre,** *m.*, arch, semicircle, curve
**circonstance,** *f.*, circumstance
**circuit,** *m.*, circuit
**circulation,** *f.*, circulation, traffic
**circuler,** to circulate
**cirer,** to wax, polish
**cireur,** *m.*, bootblack

**citadelle,** *f.*, citadel, fortress
**cité,** *f.*, city
**citer,** to cite, relate, tell, mention, quote, summon, name
**citoyen,** *m.*, citizen
**citron,** *m.*, lemon
**civil, –e,** civil, polite, secular
**civilisation,** *f.*, civilization
**civilisé, –e,** civilized, cultured
**clair, –e,** clear, pure, light (in color)
**clandestin, –e,** clandestine, secret
**claquer,** to snap, crack, clap
**clarté,** *f.*, clearness
**classe,** *f.*, class, school
**classique,** *m. or f.*, classic, classical
**classiques,** *m. pl.*, classics
**clergyman,** *m.*, clergyman (English word)
**climat,** *m.*, atmosphere, climate
**cloche,** *f.*, bell
**clocher,** *m.*, steeple, belfry
**cloître,** *m.*, cloister
**club,** *m.*, club
**cocktail,** *m.*, cocktail
**code,** *m.*, code
**cœur,** *m.*, heart; **à contre —,** reluctantly
**coiffeur,** *m.*, hairdresser, barber
**coin,** *m.*, corner, nook
**coïncider,** to coincide
**col,** *m.*, collar
**collecti–f, –ve,** collective
**collection,** *f.*, collection
**collège,** *m.*, college, college preparatory school
**collègue,** *m.*, colleague
**colline,** *f.*, hill
**colon,** *m.*, colonist, settler, planter
**colonel,** *m.*, colonel
**colonial, –e,** colonial
**colonie,** *f.*, colony
**colonisa–teur, –trice,** colonizer
**colonisation,** *f.*, colonisation
**coloniser,** to colonize
**colonne,** *f.*, column, pillar
**coloré, –e,** colored, stained, tinted
**combat,** *m.*, fight, battle, struggle
**combattre,** to combat, fight
**combien,** how much, how many
**combinaison,** *f.*, combination
**combiner,** to combine
**comble,** *m.*, heaping measure; **par — d'ironie,** as a crowning irony
**combler,** to heap, fill up, crown, overwhelm
**comédie,** *f.*, comedy
**comédien,** *m.*, actor
**comique,** *m. or f.*, comical
**comité,** *m.*, committee
**commandant,** *m.*, commander, major; **— en chef,** commander-in-chief
**commande,** *f.*, order, commission
**commandement,** *m.*, order, command, commandment
**commander,** to order, command
**comme,** as, like, as it were, such as, since, how
**commencer,** to begin, commence
**comment,** how, why
**commerçant,** *m.*, business man, tradesman
**commerce,** *f.*, commerce, trade
**commercial, –e,** commercial
**commettre,** to commit
**commissaire,** *m.*, commissary, commissioner, manager; commissar; **— du bord,** purser
**commission,** *f.*, commission, errand, order
**commode,** *m. or f.*, convenient
**commun, –e,** common, usual, same
**communauté,** *f.*, community, society
**communicant, –e,** communicating, connected
**communication,** *f.*, communication
**communiquer,** to communicate
**communisme,** *m.*, communism
**commutateur,** *m.*, switch
**compagne,** *f.*, mate, wife
**compagnie,** *f.*, company
**compagnon,** *m.*, companion
**comparable,** *m. or f.*, comparable
**comparaison,** *f.*, comparison
**comparé, –e,** comparative

**comparer,** to compare
**compatriote,** *m. or f.*, compatriot
**complaisance,** *f.*, complacence
**compl–et, –ète,** complete, full
**complètement,** completely, entirely
**compléter,** to complete
**complexe,** *m. or f.*, complex
**complexe,** *m.*, complex
**complication,** *f.*, complication
**complice,** *m. or f.*, accomplice, accessory
**compliqué, –e,** complicated
**compliquer,** to complicate
**comportement,** *m.*, conduct
**comporter,** to permit, admit of; **se —,** to behave, act
**composé, –e,** composed
**composer,** to compose
**composi–teur, –trice,** composer
**compréhension,** *f.*, comprehension, understanding
**comprendre,** to understand, know, include
**compromis,** *m.*, compromise
**compte,** *m.*, account; **se rendre —,** to realize
**compter,** to count, account, number, reckon, intend to, plan to
**comte,** *m.*, count
**concert,** *m.*, concert
**concept,** *m.*, concept
**concevoir,** to conceive
**conclure,** to conclude, end
**concours,** *m.*, competition, collaboration, concurrence, co-operation, competitive examination
**concr–et, –ète,** concrete
**concurrence,** *f.*, competition; **faire — à,** to compete with
**concurrent,** *m.*, competitor
**condamner,** to condemn
**condition,** *f.*, condition, circumstance
**conducteur,** *m.*, conductor
**conduire,** to lead, escort, drive, conduct, induce
**conduite,** *f.*, conduct, behavior, deportment, leadership, management, pipe
**conduitisme,** *m.*, behaviorism
**conférence,** *f.*, conference, lecture
**conférencier,** *m.*, speaker, lecturer
**confession,** *f.*, faith, confession
**confiance,** *f.*, confidence, trust
**confiant, –e,** confiding
**confidence,** *f.*, confidence
**confier,** to confide, entrust
**conflit,** *m.*, conflict
**conformiste,** *m. or f.*, conformist
**confort,** *m.*, comfort
**confus, –e,** confused, vague, indistinct
**confusion,** *f.*, confusion
**connaissance,** *f.*, knowledge, cognizance, learning, information
**connaître,** to know, be aware of, recognize
**connu, –e,** known
**conquérant,** *m.*, conqueror, victor
**conquérir,** to conquer, gain, obtain, acquire, win, win over; **se —,** to be conquered
**conquête,** *f.*, conquest, success, victory, acquisition
**consacré, –e,** consecrated, devoted
**consacrer,** to consecrate, devote, dedicate, sanction; **se —,** to devote oneself
**conscience,** *f.*, conscience, perception, knowledge, consciousness; **prendre —,** to become aware
**conscient, –e,** conscious
**conseil,** *m.*, advice, counsel, council, council board
**conseiller,** *m.*, adviser, councillor
**conseiller,** to advise, counsel
**consentir,** to consent
**conséquence,** *f.*, consequence, result, importance
**conséquent,** *m.*, consequence; **par —,** therefore
**conserva–teur, –trice,** conservative
**conserver,** to preserve, keep, conserve
**considérer,** to consider, think, feel

**consister,** to consist
**consoler,** to console
**consommateur,** *m.*, consumer
**constant, –e,** constant
**constater,** to state, ascertain, declare, prove
**constructeur,** *m.*, constructor, builder
**constructi–f, –ve,** constructive
**construction,** *f.*, construction, building
**construire,** to construct, build
**consulter,** to consult
**consultation,** *f.*, consultation
**contact,** *m.*, connection, contact
**conte,** *m.*, story, tale
**contempler,** to contemplate, gaze upon
**contemporain, –e,** of our time, contemporary
**contemporain,** *m.*, contemporary
**contenir,** to contain
**content, –e,** content
**continent,** *m.*, continent
**continu, –e,** continuous
**continuer,** to continue
**contradiction,** *f.*, contradiction
**contrainte,** *f.*, constraint, coercion, compulsion
**contraire,** *m. or f.*, contrary, opposite; **au —,** on the contrary
**contre,** against; **à — cœur,** unwillingly
**contre-fort,** *m.*, counterfort, buttress, pillar
**contribuer,** to contribute
**contrôle,** *m.*, control
**contrôler,** to control
**contrôleur,** *m.*, ticket collector, superintendent, comptroller
**controverse,** *f.*, controversy
**convaincre,** to convince
**convenable,** *m. or f.*, suitable, proper
**convenir,** to agree, suit, to be proper for, to become
**convention,** *f.*, convention, standard, rule
**conventionnel, –le,** conventional
**conversation,** *f.*, conversation
**conviction,** *f.*, conviction
**convive,** *m. or f.*, guest
**convoi,** *m.*, convoy
**convoquer,** to call together, convene
**convulsion,** *f.*, convulsion
**copie,** *f.*, copy, imitation
**copier,** to copy, imitate
**corbeille,** *f.*, basket, wicker tray
**corde,** *f.*, cord, rope, line, chord
**corinthien, –ne,** Corinthian
**corps,** *m.*, body, substance
**correspondance,** *f.*, correspondence
**correspondant, –e,** correspondent
**corriger,** to correct
**corvéable,** *m. or f.*, liable to forced labor
**Corse,** *f.*, Corsica
**costume,** *m.*, costume
**côte,** *f.*, shore, coast, ridge, rib
**côté,** *m.*, side; **à — de,** alongside; **de —,** aside; **de l'autre —,** on the other hand; **du — de,** from (*or* in) the direction of
**coton,** *m.*, cotton
**cottage,** *m.*, cottage
**cou,** *m.*, neck
**couché, –e,** asleep, lying down
**coucher,** to lay, lay down; **se —,** to lie down, lie, recline, go to bed
**couchette,** *f.*, couch, small bed, bunk, berth, cot
**coudre,** to sew
**couler,** to flow, run, slip, slide
**couleur,** *f.*, color, tint
**coup,** *m.*, stroke, blow, knock; down (in football); **tout à —,** all of a sudden; **d'un seul —,** with one blow (swoop); **— de sonnette,** the bell
**coupablement,** guiltily
**couper,** to cut, cut off
**couple,** *m.*, couple
**cour,** *f.*, court, courtship, courtyard, yard; **faire la — à,** to pay court to
**courage,** *m.*, courage, fearlessness
**courageu–x, –se,** courageous
**couramment,** commonly, frequently, usually, fluently

**courbe,** *f.*, curb; curve
**courir,** to run
**couronne,** *f.*, coronet, crown
**couronné, –e,** crowned, capped
**courrier,** *m.*, mail, courier, messenger, dispatcher, post boy
**cours,** *m.*, course, stream, price; **au — de,** through
**course,** *f.*, course, race, errand, career, tour
**court, –e,** short, brief
**courtisan,** *m.*, courtier
**courtois, –e,** courteous, friendly
**courtoisie,** *f.*, courtesy
**cousine,** *f.*, cousin
**coussin,** *m.*, cushion
**couteau,** *m.*, knife
**coûter,** to cost
**coûteu–x, –se,** costly, expensive
**coutume,** *f.*, habit, custom, practice
**couverture,** *f.*, cover, wrapper, quilt, blanket
**couvrir,** to cover
**craindre,** to fear, dread
**crainte,** *f.*, fear
**crayon,** *m.*, pencil
**cravate,** *f.*, tie, cravat
**créateur,** *m.*, creator
**créature,** *f.*, creature, being
**crèche,** *f.*, creche, day nursery, foundling hospital
**crédit,** *m.*, credit
**créer,** to create
**crénelé, –e,** notched, loopholed
**crêpe,** *f.*, pancake
**crépuscule,** *m.*, twilight
**crête,** *f.*, crest, top
**creuser,** to dig, hollow out
**cri,** *m.*, cry, call, shout, yell, whining, scream; **— de guerre,** war cry, cheer
**crier,** to shout, cheer, cry
**criminel, –le,** criminal
**crise,** *f.*, crisis, convulsion; **— économique,** financial depression
**cristal,** *m.*, crystal
**cristallisation,** *f.*, crystallization
**critique,** *m. or f.*, critical
**critique,** *f.*, criticism
**critique,** *m.*, critic, fault finder
**critiquer,** to criticize
**croire,** to believe, think
**croisade,** *f.*, crusade
**croisement,** *m.*, crossing
**croiser,** to cross, cross out, meet
**croisière,** *f.*, cruise, expedition
**croissance,** *f.*, growth
**croître,** to grow, increase
**croix,** *f.*, cross
**croupe,** *f.*, crupper, rump, top *or* brow of a hill
**cruauté,** *f.*, cruelty, hardship
**cruel, –le,** cruel, severe, hard
**crustacé,** *m.*, crustacean
**cuire,** to cook
**cuisine,** *f.*, kitchen, cookery; **faire la —,** to do the cooking
**cuisinière,** *f.*, cook
**cuivre,** *m.*, copper
**culinaire,** *m. or f.*, culinary
**cultiver,** to cultivate
**culture,** *f.*, culture, cultivation
**curieu–x, –se,** curious, peculiar
**curieusement,** strangely, curiously
**curiosité,** *f.*, curiosity
**cycle,** *m.*, cycle
**cynique,** *m. or f.*, cynical
**cynisme,** *m.*, cynicism
**cyprès,** *m.*, cypress tree

## D

**dame,** *f.*, lady
**damnation,** *f.*, damnation
**danger,** *m.*, danger
**dangereusement,** dangerously
**dangereu–x, –se,** dangerous
**dans,** in, according to, within
**danse,** *f.*, dance, dancing
**danseuse,** *f.*, dancer
**date,** *f.*, date, period
**dater,** to date, date back from
**davantage,** more
**de,** of, at, with, from, in, for, as, at; (before numbers) than; (partitive) some, any
**débâcle,** *f.*, downfall, collapse, breakdown
**débarquement,** *m.*, landing
**débarquer,** to land, disembark

**débarrasser,** to rid; **se — de,** to get rid of
**débat,** *m.*, debate
**déborder,** to overflow
**debout,** standing
**début,** *m.*, debut, beginning, start
**débuter,** to begin, start
**décade,** *f.*, decade
**décadence,** *f.*, decadence
**décanter,** to decant, pour off gently
**décembre,** *m.*, December
**décent, -e,** decent, becoming
**décerner,** to award, assign, bestow, confer
**décevoir,** to deceive
**déchéance,** *f.*, fall, falling off
**décider,** to decide, resolve, persuade
**décision,** *f.*, decision
**déclamer,** to declaim
**décor,** *m.*, setting, stage setting, decoration; **—s,** scenery
**décoration,** *f.*, decoration
**décorer,** to decorate
**découper,** to cut up, carve, cut out
**découverte,** *f.*, discovery
**découvrir,** to discover, find, find out, see, disclose, discern; **se —,** to be detected, betray oneself
**décrire,** to describe
**déçu,** disappointed
**dédaigner,** to disdain, scorn, contemn
**dédain,** *m.*, disdain
**se dédoubler,** to be divided in two
**défaite,** *f.*, defeat
**défaut,** *m.*, fault, defect, imperfection, want, omission
**défendre,** to forbid, defend, vindicate, uphold, protect; **se —,** to protect oneself
**défense,** *f.*, protection, defense
**défenseur,** *m.*, protector, defender
**défi,** *m.*, challenge
**défier,** to defy, challenge
**défilé,** *m.*, line, file, pass
**défini, -e,** defined, precise
**définir,** to define, determine
**définiti-f, -ve,** definite, final, definitive
**définitivement,** definitely
**déformer,** to deform, throw out of shape
**défricher,** to clear (land)
**dégager,** to disengage, disentangle; **se — de,** to get out of, get clear of, get rid of
**dégoût,** *m.*, disgust
**dégoûté, -e,** disgusted
**dégoûter,** to disgust
**degré,** *m.*, step, grade, degree, measure, amount
**dehors,** outside, outdoors; **en — de,** outside of, besides; **au —,** outdoors, away from the house
**déjà,** already
**déjeuner,** *m.*, lunch, breakfast
**délibérer,** to deliberate
**délicat, -e,** delicate, sensitive, fastidious
**délicatesse,** *f.*, fineness, daintiness, refinement, delicacy
**délices,** *f. pl.*, delight, pleasure
**délicieu-x, -se,** delicious, delightful
**délivrer,** to deliver
**demain,** tomorrow
**demander,** to ask, require, ask for, solicit, request; **se —,** to wonder, ask oneself
**démarche,** *f.*, step, gait, overture, negotiation
**démasquer,** to unmask, uncover, disclose
**dément, -e,** crazy, mad
**demeure,** *f.*, dwelling, abode, home
**demeurer,** to dwell, live, remain
**demi, -e,** half
**démocrate,** *m. or f.*, democrat
**démocratie,** *f.*, democracy
**démocratique,** *m. or f.*, democratic
**démolir,** to demolish
**dentelle,** *f.*, lace
**dénuer,** to divest, strip; **denué de tout confort,** devoid of all comfort

**départ**, *m.*, departure
**département**, *m.*, department, subdivision administered by a subprefect
**dépasser**, to go beyond, exceed, surpass, pass
**dépêche**, *f.*, dispatch
**dépendance**, *f.*, dependence
**dépendre**, to depend
**dépense**, *f.*, expense
**dépenser**, to spend (money)
**dépit**, *m.*, spite; **en — de**, in spite of
**déplaisant, –e**, displeasing
**déposer**, to deposit, leave, put
**dépourvu, –e**, deprived
**depuis** (*prep.*), since; **— que**, (*conj.*), since
**député**, *m.*, deputy, delegate
**déranger**, to disturb, bother
**derni–er, –ère**, last
**dérouler**, to unroll
**derrière**, behind
**dès**, from, since; **— que**, as soon as; **— maintenant**, henceforth; **— lors**, henceforth
**désabusé, –e**, disillusioned
**descendant**, *m.*, descendant
**descendre**, to descend
**description**, *f.*, description
**désert**, *m.*, desert, wilderness
se **déshabiller**, to undress
**déshonorer**, to dishonor, disgrace
**désigner**, to designate
**désir**, *m.*, wish, desire
**désirer**, to wish, desire
**désireu–x, –se**, desirous
**désobéissance**, *f.*, disobedience
**désœuvrement**, *m.*, idleness, want of occupation
**désolé, –e**, heartbroken, desolate, sorry, sad
**désormais**, henceforth
**dessin**, *m.*, drawing, design, pattern, designing
**dessinatrice**, *f.*, designer; **— de jardins**, landscape gardener
**dessiner**, to draw, outline, design, sketch
**destin**, *m.*, destiny, fate
**destinée**, *f.*, destiny
**destiner**, to intend, destine
**destruction**, *f.*, destruction
**détacher**, to untie, detach
**détail**, *m.*, detail, particular
**détenteur**, *m.*, holder, recipient
**déterminer**, to determine, resolve
**détestable**, *m. or f.*, detestable, hateful, odious, wretched
**détourner**, to turn aside, turn away, divert
**détroit**, *m.*, strait
**détrôner**, to dethrone
**détruire**, to destroy
**dette**, *f.*, debt
**deuil**, *m.*, mourning, grief
**deux**, two
**deuxième**, *m. or f.*, second
**devant**, before, in front of
**développer**, to develop
**développement**, *m.*, development
**devenir**, to become
**deviner**, to guess
**devise**, *f.*, device, motto
**devoir**, *m.*, task, duty, school exercise
**devoir**, to owe, must, ought, have to, have to be, be obliged to
**dévorer**, to devour
**dévot, –e**, devout, godly, pious, saintly
**dévouement**, *m.*, devotion, self-sacrifice
**dévouer**, to devote
**Diane**, *f.*, Diana (goddess of the hunt)
**dictateur**, *m.*, dictator
**dictionnaire**, *m.*, dictionary
**dieu**, *m.*, god; **D—**, God
**différence**, *f.*, difference
**différent, –e**, different
**difficile**, *m. or f.*, difficult
**difficilement**, with difficulty
**difficulté**, *f.*, difficulty, obstacle
**digne**, *m. or f.*, worthy, dignified
**dimanche**, *m.*, Sunday
**dimension**, *f.*, dimension, capacity
**diminuer**, to diminish, lessen
**diminutif**, *m.*, diminutive
**dîner**, *m.*, dinner

**dîner,** to dine
**diplomatie,** *f.*, diplomacy
**diplomatique,** *m. or f.*, diplomatic
**diplôme,** *m.*, diploma, certificate
**dire,** to say, tell; **c'est à —,** that is to say, meaning; **pour ainsi —,** so to speak
**direct, -e,** direct
**directeur,** *m.*, director, manager, principal (*of a school*); **— de conscience,** spiritual adviser
**direction,** *f.*, direction, management
**diriger,** to direct, conduct (a trip); **se —,** to go toward, make for, take the direction of, steer to
**disciple,** *m.*, follower, disciple
**discipline,** *f.*, discipline, training
**discipliné, -e,** disciplined
**discours,** *m.*, speech, explanation, theory, oration, subject
**discussion,** *f.*, discussion
**discuter,** to discuss
**disparaître,** to disappear, vanish
**disperser,** to disperse
**disponible,** at one's disposal
**dissection,** *f.*, dissection
**dissertation,** *f.*, dissertation, composition, essay
**dissiper,** to dissipate, dispel
**distingué, -e,** distinguished, outstanding
**distinguer,** to distinguish
**distraction,** *f.*, distraction, absent-mindedness, entertainment
**distrait, -e,** absent-minded, heedless, inattentive
**distribuer,** to distribute
**distribution,** *f.*, distribution, arrangement
**district,** *m.*, district
**divan,** *m.*, couch, divan
**divers, -e,** different, various
**divertissement,** *m.*, amusement
**divin, -e,** divine, exquisite
**divinité,** *f.*, divinity, deity, god
**diviser,** to divide; **se —,** to be divided
**divorce,** *f.*, divorce
**divorcer,** to divorce
**dix,** ten
**dix-huit,** eighteen
**dix-neuf,** nineteen
**dix-neuvième,** *m. or f.*, nineteenth
**dix-septième,** *m. or f.*, seventeenth
**dizaine,** *f.*, about ten
**docile,** *m. or f.*, docile, submissive, yielding
**docteur,** *m.*, doctor
**doctrine,** *f.*, doctrine
**dogmatique,** *m. or f.*, dogmatic
**doigt,** *m.*, finger
**dollar,** *m.*, dollar
**domaine,** *m.*, domain
**domestique,** *m. or f.*, servant
**dominer,** to dominate, domineer, rule, predominate, control
**dompter,** to tame, subdue, quell
**don,** *m.*, gift, donation
**donc,** therefore, hence, then, consequently
**donjon,** *m.*, dungeon, turret
**donnée,** *f.*, datum, fundamental idea, subject, scheme
**donner,** to give, grant, ascribe; **se —,** to be given
**don-quichottisme,** *m.*, quixotism
**dont,** whose, of which, of whom, in which, from which, whereof, with which
**dorer,** to gild, gild over
**dormir,** to sleep
**doter,** to endow; **être doté de,** to be gifted *or* endowed with
**double,** *m. or f.*, double, twofold, two-faced
**doubler,** to double, line, increase in size
**doucement,** gently, softly, slightly, smoothly
**douceur,** *f.*, sweetness, kindness, gentleness, good nature
**doué, -e,** endowed, gifted
**douer,** to endow
**douillettement,** softly, cozily, delicately
**douleur,** *f.*, grief, pain, suffering, sorrow
**douloureu-x, -se,** painful

**doute,** *m.*, doubt; **sans —,** no doubt, doubtless
**douter,** to doubt, question; **se — de,** to have an idea of, surmise, fear, suspect
**dou-x, -ce,** sweet, soft, gentle, agreeable, smooth, peaceful
**douze,** twelve
**douzième,** *m. or f.*, twelfth
**doyen,** *m.*, dean
**dramatique,** *m. or f.*, dramatic
**dramaturge,** *m. or f.*, dramatist, playwright
**drame,** *m.*, drama
**drap,** *m.*, sheet, cloth, broadcloth
**drapeau,** *m.*, flag, pennant
**dresser,** to train, drill, erect; **se —,** to draw up, stand up straight, rise up from, be trained
**drogue,** *f.*, drug
**droit,** *m.*, right, law, privilege, due, fee, duty
**duc,** *m.*, duke
**duel,** *m.*, duel
**dur, -e,** hard, harsh, severe
/ **durable,** *m. or f.*, durable, lasting, permanent
**durant,** during
**durée,** *f.*, length, duration, span
**durer,** to last, continue
**dynamique,** *m. or f.*, dynamic
**dynastie,** *f.*, dynasty

## E

**eau,** *f.*, water
**écaille,** *f.*, scale, shell
**s'écarter,** to turn aside, stray, swerve, err
**échafaud,** *m.*, scaffold
**échange,** *m.*, exchange, barter; **en — de,** in exchange for
**échanger,** to exchange
**échantillon,** *m.*, sample, specimen
**échapper** (à), to escape
**échauder,** to scald
**échelle,** *f.*, ladder, scale, degree
**échouer,** to fail, be stranded
**éclairer,** to light, illuminate, light up, enlighten, throw light upon, elucidate
**éclat,** *m.*, flash, brilliancy, glory, splendor, brightness
**éclatant, -e,** bright, striking, brilliant
**éclater,** to burst, shine, dazzle; **— de rire,** to burst out laughing
**école,** *f.*, school
**écolier,** *m.*, student, schoolboy
**économe,** *m. or f.*, thrifty
**économie,** *f.*, economy, thrift, savings
**économique,** *m. or f.*, economical, saving
**économiser,** to save, economize
**économiste,** *m.*, economist
**Écossais,** *m.*, Scotchman
**écossais, -e,** Scotch
**Écosse,** *f.*, Scotland
**écouter,** to listen, listen to
**écran,** *m.*, screen
**écrasant, -e,** stupendous, overwhelming, crushing, excessive, ruinous
**écraser,** to crush
**écrire,** to write
**écrit,** *m.*, writing
**écriteau,** *m.*, signboard, placard
**écriture,** *f.*, writing, handwriting, scripture
**écrivain,** *m.*, writer; **— de théâtre,** playwright
**écume,** *f.*, foam, froth, scum
**écureuil,** *m.*, squirrel
**édifiant, -e,** edifying
**édifice,** *m.*, building
**édifier,** to edify
**éditer,** to edit, publish
**éditeur,** *m.*, editor
**éducateur,** *m.*, educator
**éducation,** *f.*, education
**effacer,** to erase, wipe off, obliterate; **s'—,** to disappear, be obliterated
**effet,** *m.*, effect, intent; **en —,** in fact, indeed, in reality
**effleurer,** to skim over, touch upon, glance at
**s'efforcer,** to endeavor, attempt, struggle, force oneself, make an effort

**effort,** *m.*, effort, attempt, endeavor
**effrayer,** to frighten, terrify
**effrayant, –e,** frightful, fearful, appalling, hideous
**effroyable,** *m. or f.*, frightful, frightening, terrifying
**égal, –e,** equal, even, same
**également,** equally, also, likewise
**égaler,** to equal
**égalitaire,** *m. or f.*, equalitarian, levelling (policy)
**égalité,** *f.*, equality
**égard,** *m.*, consideration, respect, regard; **à cet —,** in this respect; **à l'— de,** regarding
**égaré, –e,** astray, bewildered
**église,** *f.*, church
**égoïste,** *m. or f.*, egotistical, selfish
**égyptien, –ne,** Egyptian
**élan,** *m.*, impulse, spirit, outburst, inspiration
**électeur,** *m.*, elector, voter
**élection,** *f.*, election
**électricité,** *f.*, electricity
**électrique,** *m. or f.*, electric
**élégance,** *f.*, elegance
**élément,** *m.*, element, component part
**élémentaire,** *m. or f.*, elementary, primary
**élève,** *m. or f.*, pupil
**élever,** to bring up, raise, elevate, uplift; **s'—,** to go up, mount, climb, rise, raise oneself
**elle-même,** herself, itself
**éliminer,** to eliminate
**élire,** to elect, choose
**élite,** *f.*, the select few, elite
**éloge,** *m.*, eulogy, praise
**éloigné, –e,** distant, remote
**éloigner,** to repel, remove, push away; **s'—,** to withdraw, recede, get away from
**émail,** *m.*, enamel
**émanciper,** to emancipate
**emballer,** to wrap up; **s'—,** to get out of order
**embarquer,** to embark
**embarras,** *m.*, embarrassment, difficulty, trouble
**embarrasser,** to embarrass
**embellir,** to embellish, beautify
**embouchure,** *f.*, mouth (of a river), opening
**embrasser,** to embrace, kiss
**embusquer,** to ambuscade, post
**émigration,** *f.*, emigration
**éminent, –e,** eminent, superior, distinguished
**emmener,** to lead, take away, escort
**émoi,** *m.*, emotion, flutter, ferment, sensation
**émotionnel, –le,** emotional
**émouvant, –e,** moving, stirring, touching
**émouvoir,** to move, stir up, touch, rouse
**s'emparer (de),** to take possession of, seize
**empêcher,** to hinder, keep from, prevent, impede, stop
**empereur,** *m.*, emperor
**empire,** *m.*, empire, power, dominion
**emploi,** *m.*, use, employment
**employé,** *m.*, employee, clerk
**employer,** to use, employ
**emporter,** to carry away, prevail, sweep away, gain, win, triumph; **— sur,** to have the advantage, overcome
**emprunter,** to borrow
**en,** in, by, on, of it, from it (them)
**encadrer,** to frame, encircle, limit
**enchanter,** to delight, enchant
**encore,** still, yet, again, more
**encourager,** encourage
**endroit,** *m.*, place, spot, district
**enérgie,** *f.*, energy, force, vigor
**enfance,** *f.*, childhood
**enfant,** *m. or f.*, child
**enfantin, –e,** childish, youthful
**enfer,** *m.*, hell
**enfermer,** to close, enclose
**enfin,** finally, at last, in the last analysis, after all
**enfoncer,** to drive in, sink, bury

**s'enfuir,** to flee, run away, escape
**engager,** to engage, begin, enlist, hire; **s'—,** hire oneself, enlist
**engendrer,** to engender, create
**engloutir,** to engulf, swallow
**s'engouer,** to be infatuated
**enivrer,** to intoxicate, elate
**enjeu,** *m.*, stake (at play)
**ennemi,** *m.*, enemy
**ennui,** *m.*, boredom, tediousness, worry
**ennuyer,** to bore, weary; **s'—,** to be wearied, tire oneself, to feel dull, be bored
**ennuyeu–x, –se,** boresome, boring, wearisome
**énorme,** *m. or f.*, enormous, immense, huge
**enquête,** *f.*, inquiry, investigation, inquest
**enregistrer,** to register, check
**enrichir,** to enrich; **s'—,** to become rich, embellish
**enrôler,** to enroll
**enseignement,** *m.*, teaching, instruction
**enseigner,** to teach, instruct
**ensemble,** *m.*, whole, mass, ensemble
**ensemble,** together
**ensuite,** then, afterwards, next, following
**entamer,** to cut, begin
**entasser,** to pile up
**entendre,** to hear, understand
**entente,** *f.*, agreement, understanding, harmony
**entêtement,** *m.*, stubbornness
**enthousiasme,** *m.*, enthusiasm
**enthousiaste** *m. or f.*, enthusiast, enthusiastic
**enti–er, –ère,** whole, entire, complete
**entièrement,** entirely
**entonner,** to thunder out
**entourer,** to surround; **s'—,** to surround oneself
**entraîner,** to carry off, entail, train, win over, lead over
**entre,** between, among, in, from among
**entrée,** *f.*, entrance
**entreprendre,** to undertake
**entreprise,** *f.*, enterprise
**entrer,** to enter, come in; **faire —,** to show in
**entretenir,** to maintain, support, converse
**entretien,** *m.*, conversation, interview, maintenance
**entrevoir,** to glimpse, see dimly
**envers,** toward
**envie,** *f.*, desire, wish, longing, envy; **avoir — de,** to desire to
**environ,** *m.*, neighborhood, vicinity; **aux —s de,** about the vicinity of
**environ,** approximately, about
**envisager,** to look in the face, to eye, face, view
**envoi,** *m.*, sending, thing sent, parcel, envoy (literary)
**envoyer,** to send
**épais, –se,** thick
**épaisseur,** *f.*, thickness, density
**épargne,** *f.*, economy, saving, thrift; **banque d'—,** savings bank
**épargner,** to spare, save
**épaule,** *m.*, shoulder
**éphémère,** *m. or f.*, ephemeral
**épingler,** to pin
**épopée,** *f.*, epic poem, epopee
**époque,** *f.*, epoch, time, period, era, date
**épouse,** *f.*, wife, spouse
**épouser,** to wed, marry
**époux,** *m.*, husband, spouse
**épreuve,** *f.*, proof, test, order, point, copy, evidence
**éprouver,** to feel, experience, try, prove
**épuiser,** to exhaust, drain, use up
**équation,** *f.*, equation
**équilibre,** *m.*, balance, equilibrium, harmony
**équipage,** *m.*, equipage, team, tackle, crew
**équipe,** *f.*, team, crew, equipage
**équiper,** to equip
**ère,** *f.*, era
**érable,** *m.*, maple tree, maple

**errer**, to wander
**erreur**, *f.*, error, mistake, illusion
**érudit, –e**, erudite, learned, scholarly; *as n.*, scholar
**érudition**, *f.*, erudition, learning
**escabeau**, *m.*, stool
**escadron**, *m.*, squadron
**escalader**, to scale
**escalier**, *m.*, stairway
**esclavage**, *m.*, slavery; **demi-—**, semi-slavery
**esclave**, *m. or f.*, slave
**espace**, *m.*, space, place
**Espagne**, *f.*, Spain
**Espagnol**, *m.*, Spaniard
**espagnol, –e**, Spanish
**espèce**, *f.*, kind, species
**espérance**, *f.*, hope, anticipation
**espérer**, to hope, expect
**espoir**, *m.*, hope
**esprit**, *m.*, spirit, mind, wit, intellect
**esquisser**, to outline, sketch
**essai**, *m.*, essay, trial, attempt
**essayer**, to try, attempt
**essayiste**, *m. or f.*, essayist
**essor**, *m.*, flight, impetus, impulse
**est**, *m.*, east
**estimable**, *m. or f.*, estimable
**estime**, *f.*, esteem, regard
**estimer**, to esteem, value
**estomper**, to shade off
**établir**, to establish, aver, found, prove
**étage**, *m.*, story, floor
**étaler**, to spread out, display
**étang**, *m.*, pond, small lake, pool
**étape**, *f.*, stage (of a journey)
**état**, *m.*, state, nation, condition; **États-Unis**, United States
**été**, *m.*, summer
**éteindre**, to extinguish, put out; **s'—**, to go off, be extinguished, die out
**étendre**, to spread, extend, stretch, stretch forth; **s'—**, to lie down, extend
**étendue**, *f.*, extent
**éternel, –le**, eternal, everlasting
**éternité**, *f.*, eternity
**éthique**, *f.*, ethics, morals
**éthnique**, *m. or f.*, ethnic, ethnical
**étiquette**, *f.*, etiquette, ticket, label
**étoile**, *f.*, star
**étoile**, *m. or f.*, star (actor)
**étoilé, –e**, starry
**étonné, –e**, astonished, surprised
**étonner**, to astonish, surprise
**étrange**, *m. or f.*, strange, queer
**étranger**, *m.*, stranger, foreigner, foreign parts; **à l'—**, abroad
**étrang–er, –ère**, strange, foreign, unknown
**étrangeté**, *f.*, strangeness, queerness
**être**, to be
**être**, *m.*, being
**étroit, –e**, narrow, tight, limited, confined, close
**étroitement**, narrowly, closely
**étrusque**, *m. or f.*, Etruscan
**étude**, *f.*, study, survey
**étudiant**, *m.*, student
**étudiante**, *f.*, student
**étudier**, to study
**euclidien, –ne**, Euclidean
**Europe**, *f.*, Europe
**européaniser**, to Europeanize
**européen, –ne**, European
**eux-mêmes**, *m.*, themselves
**évasion**, *f.*, flight, escape, elopement
**éveiller**, to awaken, arouse; **s'—**, to awake
**événement**, *m.*, event, happening
**évêque**, *m.*, bishop
**évidemment**, evidently, obviously, apparently
**évidence**, *f.*, evidence, clearness, plainness
**évident, –e**, obvious, evident, apparent
**éviter**, to avoid
**évoluer**, to evolve
**évolution**, *f.*, evolution
**évoquer**, to evoke, call forth
**exact, –e**, exact
**exactement**, exactly
**exagération**, *f.*, exaggeration
**exagérer**, to exaggerate
**s'exalter**, to be exalted

**examen,** *m.*, examination; — **d'entrée,** entrance examination
**examiner,** to examine
**excédant,** *m.*, surplus, excess
**excellent, –e,** excellent
**exception,** *f.*, exception; **à l'— de,** with the exception of
**exercer,** to exercise
**excès,** *m.*, excess
**excessi–f, –ve,** excessive
**excitation,** *f.*, stimulus
**exciter,** to excite, arouse
**excuse,** *m.*, excuse
**excuser,** to excuse
**exécuter,** to execute, carry out
**exemplaire** *m.*, model, copy (of a book)
**exemple,** *m.*, example, instance; **par —,** for example
**exercer,** to exert, exercise; **s'—,** to practise
**exigeant, –e,** unreasonable, exacting, hard to please
**exiger,** to require, demand, enforce, exact
**exil,** *m.*, exile
**existence,** *f.*, existence, living, life
**exister,** to exist
**exorciser,** to exorcise
**exotique,** *m. or f.*, exotic, foreign
**exotisme,** *m.*, exoticism
**expérience,** *f.*, experience, test, experiment
**expérimentateur,** *m.*, experimenter
**expliquer,** to explain
**exploiter,** to exploit, make use of
**explorateur,** *m.*, explorer
**exploration,** *f.*, exploration
**explorer,** to explore
**exporter,** to export
**expression,** *f.*, expression
**exprimer,** to express
**exquis, –e,** exquisite
**extérieur, –e,** exterior, foreign
**extinction,** *f.*, extinction
**extraordinaire,** *m. or f.*, extraordinary
**extrême,** *m.*, extreme
**extrême,** *m. or f.*, outstanding, extreme
**extrêmement,** extremely
**extrémité,** *f.*, extremity, end

## F

**fabrication,** *f.*, manufacture
**fabriquer,** to make, manufacture
**face,** *f.*, face, right side; **en — de,** opposite, in front of, confronting
**facile,** *m. or f.*, easy
**facilement,** easily
**facilité,** *f.*, facility, ease, looseness
**façon,** *f.*, manner, way, fashion; **de — à,** in order to
**facteur,** *m.*, porter, postman
**faculté,** *f.*, faculty, mental power
**faible,** *m. or f.*, feeble, weak
**faiblesse,** *f.*, weakness
**faillite,** *f.*, failure
**faim,** *f.*, hunger
**faire,** to make, do, say, cause to, give, have (something done), tell (stories); **il fait beau,** the weather is fine; — **de la peine,** to hurt; — **du plaisir,** to please; — **semblant,** to pretend, make believe; **se —,** to be done
**fait,** *m.*, fact, deed, occurrence, matter, happening, account; **tout à —,** quite
**falloir,** must, to be necessary, need; **il faut,** it is necessary, one must
**fameu–x, –se,** well known, famous, renowned, celebrated
**familial, –e,** family, pertaining to the family
**famili–er, –ère,** familiar, acquainted, informal, intimate, pet
**famille,** *f.*, family
**fantaisie,** *f.*, fancy, phantasy, caprice, whim
**fantaisiste,** *m. or f.*, imaginative, whimsical
**fantôme,** *m.*, phantom, ghost

**farouche,** *m. or f.*, wild, fierce, sullen, shy
**fatigué, –e,** tired
**fatiguer,** to tire; **se —,** to become tired
**fauteuil,** *m.*, armchair
**faux, fausse,** false
**faveur,** *f.*, favor
**favorable,** *m. or f.*, favorable
**favoriser,** to favor
**fécond, –e,** prolific, fruitful, fertile, fecund
**feindre,** to feign, pretend
**féminin, –e,** feminine
**femme,** *f.*, woman, wife; **— de chambre,** chambermaid
**féodal,** *m.*, feudal lord
**féodal, –e,** feudal
**féodalité,** *f.*, feudalism
**fer,** *m.*, iron
**ferme,** *f.*, farm, farmhouse
**ferme,** *m. or f.*, firm
**fermer,** to close; **— à clef,** to lock
**fermier,** *m.*, farmer
**féroce,** *m. or f.*, ferocious
**fête,** *f.*, festivity, feast, holiday, birthday; **— de charité,** benefit
**feu,** *m.*, fire, light
**feuille,** *f.*, leaf
**février,** *m.*, February
**fiancer,** to betroth, affiance
**fidèle,** *m. or f.*, faithful
**fidélité,** *f.*, fidelity
**fi–er, –ère,** proud
**fierté,** *f.*, pride
**figer,** to coagulate, congeal, curdle
**figure,** *f.*, face, figure, type, form
**figurer,** to represent; **se —,** to imagine
**fil,** *m.*, wire, thread
**file,** *f.*, line, file
**filet,** *m.*, net, net bag, rack (of a railway coach)
**fille,** *f.*, daughter, girl; **jeune —,** young lady, girl
**film,** *m.*, film
**fils,** *m.*, son
**fin,** *f.*, end
**fin, –e,** fine
**financi–er, –ère,** financial
**finesse,** *f.*, delicacy, ingenuity, shrewdness, finesse
**finir,** to finish, end; **— par** *plus inf.*, finally
**fiscal, –e,** fiscal
**fixe,** *m. or f.*, steady, fixed, stationary
**flamme,** *f.*, flame
**flanelle,** *f.*, flannel
**flatteu–r, –se,** flattering
**fleur,** *f.*, flower
**fleurir,** to bloom, blossom, flourish, thrive
**fleuriste,** *m.*, florist
**fleuve,** *m.*, stream, river
**floconneu–x, –se,** flaky
**flot,** *m.*, flood, wave
**flotte,** *f.*, fleet
**foi,** *f.*, faith
**fois,** *f.*, time; **une —,** once; **à la —,** all at once, at the same time, both
**folie,** *f.*, folly, madness, distraction, foolishness
**follement,** madly
**foncer,** to sink, dash, rush upon
**fonctionnaire,** *m.*, official
**fonctionnement,** *m.*, working
**fonctionner,** to function
**fond,** *m.*, bottom, foundation, background, fund; **au — de,** in the main, at bottom
**fondateur,** *m.*, founder
**fonder,** to found
**fonds,** *m.*, land, ground, funds, capital, resources
**fondateur,** *m.*, founder
**fondation,** *f.*, foundation
**fondatrice,** *f.*, founder
**fonder,** to found
**football,** *m.*, football (the game)
**force,** *f.*, force, might, power, strength
**forcer,** to force
**Ford,** *f.*, Ford
**forêt,** *f.*, forest
**forger,** to forge, create, coin
**formalisme,** *m.*, formalism
**formation,** *f.*, formation
**forme,** *f.*, form
**former,** to form, shape

**formidable,** *m. or f.*, formidable, tremendous
**formule,** *f.*, formula
**fort, –e,** strong
**fort,** strongly, very, greatly, very much
**forteresse,** *f.*, fortress, stronghold
**fortifier,** to fortify
**fortune,** *f.*, fortune, chance, wealth
**fou, fol, folle,** crazy, mad
**foule,** *f.*, crowd, mob
**fourmi,** *m.*, ant
**fournir,** to furnish, supply, provide
**foyer,** *m.*, hearth, home; **— littéraire,** literary center
**fragile,** *m. or f.*, fragile, frail
**fraîcheur,** *f.*, freshness, coolness
**frais, fraîche,** cool, fresh
**frais,** *m. pl.*, expenses, expense
**fran–c, –che,** frank, free
**franc,** *m.*, franc
**français, –e,** French
**Français,** *m.*, Frenchman
**Française,** *f.*, Frenchwoman
**France,** *f.*, France
**franchir,** to cross
**franchise,** *f.*, frankness
**frange,** *f.*, fringe, valance
**frapper,** to strike, knock, hit, be noticeable, stamp
**fraternité,** *f.*, brotherhood, fraternity
**frêle,** *m. or f.*, frail
**frelon,** *m.*, drone, hornet
**fréquemment,** frequently
**fréquent, –e,** frequent
**frère,** *m.*, brother
**freudien, –ne,** Freudian, of Freud
**freudisme,** *m.*, Freudism
**frigidaire,** *m.*, frigidaire (refrigerator)
**frire,** to fry
**frivole,** *m. or f.*, frivolous
**froid, –e,** cold
**froid,** *m.*, cold
**fromage,** *m.*, cheese
**front,** *m.*, front, forehead
**frontière,** *f.*, border, frontier
**frottement,** *m.*, rubbing, massage
**frotter,** to rub
**fruit,** *m.*, fruit
**fugiti–f, –ve,** fugitive, fleeing, fleeting
**fuir,** to flee, run away, get away from, evade
**fumée,** *f.*, smoke
**fumer,** to smoke, steam
**funèbre,** *m. or f.*, funereal, dismal, gloomy
**fur,** *m.;* **au — et à mesure,** in proportion, as fast as
**fusil,** *m.*, gun
**futile,** *m. or f.*, futile
**futur, –e,** future

G

**gages,** *m. pl.*, wages
**gagner,** to win, gain, earn
**gai, –e,** gay, merry
**gaieté,** *f.*, gaiety, light-heartedness
**galant, –e,** gallant, flattering
**galerie,** *f.*, gallery, long room
**galoper,** to gallop
**gallon,** *m.*, gallon
**gamme,** *f.*, gamut, scale
**gant,** *m.*, glove
**garage,** *m.*, garage
**garantir,** to guarantee
**garçon,** *m.*, boy, waiter; **bon —,** good fellow
**garde,** *f.*, guard
**garder,** to guard, keep, preserve; **se — de,** to avoid, try not to
**gare,** *f.*, railway station
**gaspiller,** to waste
**gâter,** to spoil
**gauche,** *m. or f.*, left (hand), awkward
**gazon,** *m.*, turf
**gazonné, –e,** covered with turf
**géant, –e,** gigantic, giant
**géant,** *m.*, giant
**gêne,** *f.*, constraint, trouble, embarrassment, annoyance
**gêner,** to embarrass, disturb, hinder, annoy

**général, -e,** general; **en —,** in general, generally
**général,** *m.*, general
**généralement,** generally
**génération,** *f.*, generation
**généreu-x, -se,** generous
**généreusement,** generously
**générosité,** *f.*, generosity
**génie,** *m.*, genius, talent
**genre,** *m.*, kind, sort
**gens,** *m. pl.*, folk, people; **jeunes —,** young men, young people; **petites —,** people with small incomes
**gentil, -le,** nice
**gentilhomme,** *m.*, gentleman
**géographie,** *f.*, geography
**geôlier,** *m.*, jailor
**géomètre,** *m.*, geometrician, geometer
**géométrie,** *f.*, geometry
**géométrique,** *m. or f.*, geometrical
**gerbe,** *f.*, sheaf
**gérer,** to manage, conduct
**geste,** *m.*, gesture, movement
**gigantesque,** *m. or f.*, gigantic, huge
**gilet,** *m.*, vest
**girouette,** *f.*, weather vane
**gîte,** *f.*, home, roof, shelter, seat
**glace,** *f.*, ice, mirror, glass, plate glass; **crème à la —,** ice cream
**glacer,** to freeze
**glaise,** *m. or f.*, loamy, clayey; **terre —,** loam, clay
**glisser,** to slip, slide, glide
**gloire,** *f.*, glory, honor, fame
**glorieu-x, -se,** glorious, honorable
**gonfler,** to swell, inflate
**gong,** *m.*, gong
**gorge,** *f.*, throat, gorge
**gorgée,** *f.*, draft
**gosse,** *m. or f.*, urchin, kid
**gothique,** *m. or f.*, Gothic
**goût,** *m.*, taste
**goutte,** *f.*, drop
**gouvernement,** *m.*, government
**gouverner,** to govern, control
**gouverneur,** *m.*, governor
**grâce,** *f.*, grace, mercy, blessing, charm; **— à,** thanks to
**gracier,** to pardon
**gracieu-x, -se,** gracious, graceful
**grain,** *m.*, seed, grain
**gramophone,** *m.*, gramophone
**grand, -e,** great, big, tall
**grandeur,** *f.*, dimension, size, greatness, magnitude, magnificence, majesty
**grandir,** to grow, grow up, increase, grow bigger
**grange,** *f.*, barn
**granit,** *m.*, granite
**gratitude,** *f.*, gratitude
**gratte-ciel,** *m.*, skyscraper
**gratuit, -e,** free, gratuitous, complimentary, free of charge
**grave,** *m. or f.*, grave, serious, earnest, stern, solemn
**gravitation,** *f.*, gravitation
**gravité,** *f.*, gravity, seriousness
**gré,** *m.*, pleasure, will, liking, taste
**grec, grecque,** Greek
**Grèce,** *f.*, Greece
**grenouille,** *f.*, frog
**grief,** *m.*, grievance, wrong, complaint
**gris, -e,** gray
**gros, -se,** big, large, thick, great, heavy
**grouiller,** to stir, move, swarm
**groupe,** *m.*, group
**groupement,** *m.*, group, grouping
**guère,** scarcely, hardly; **ne —,** but little
**guérir,** to cure
**guerre,** *f.*, war
**guetter,** to watch
**guillotine,** *f.*, guillotine
**gymnase,** *m.*, gymnasium

## H

**habile,** *m. or f.*, clever, skillful, sharp
**habileté,** *f.*, cleverness, ability, skill
**habiller,** to dress, clothe; **s'—,** to dress, get dressed

**habit,** *m.*, dress, garb; **—s,** clothes
**habitant,** *m.*, inhabitant
**habitation,** *f.*, habitation
**habiter,** to live, dwell, live in, inhabit
**habitude,** *f.*, habit, custom, practice; **d'—,** usually, customarily
**habitué, –e,** accustomed, used
**s'habituer** (**à**), to become accustomed to
**'haie,** *f.*, hedge
**'haïr,** to hate, loathe
**'hall,** *m.*, hall, hallway
**'halte,** *m.*, stop
**'hanter,** to haunt
**'hardi, –e,** daring, bold, courageous
**'haricot,** *m.*, bean
**harmonie,** *f.*, harmony
**harmonieu–x, –se,** harmonious, melodious, tuneful
**'hasard,** *m.*, chance; **au —,** at random
**'hâte,** *f.*, haste, hurry, rush
**'hâter** (**se**), to rush, hurry, make haste, hasten
**'hâti–f, –ve,** hasty, hurried, early, premature
**'hâtivement,** hastily, hurriedly
**'hausse,** *f.*, rise
**'hausser,** to raise, shrug
**'haut, –e,** high, tall, loud, grand, important, upper
**'haut,** (*adv.*) high
**'haut,** *m.*, top
**'hautain, –e,** haughty
**'hauteur,** *f.*, height, annoyance
**Haye,** *f.*, the Hague
**hélas,** alas
**hellénique,** *m. or f.*, hellenic
**herbe,** *f.*, grass
**héréditaire,** *m. or f.*, hereditary
**héréditairement,** hereditarily
**hérédité,** *f.*, heredity
**hérésie,** *f.*, heresy
**héritage,** *m.*, heritage
**hériter,** to inherit
**héritier,** *m.*, heir
**héritière,** *f.*, heiress
**héroïque,** *m. or f.*, heroic
**'héros,** *m.*, hero
**hésiter,** to hesitate
**heure,** *f.*, hour, time; **—(s),** o'clock; **tout à l'—,** just now, a moment ago
**heureusement,** happily, fortunately, luckily, successfully
**heureu–x, –se,** happy, fortunate, lucky
**'heurter,** to run up against; **se — à,** to come in collision with, clash with
**'hideu–x, –se,** hideous
**'hier,** yesterday; **avant-—,** day before yesterday
**'hiérarchie,** *f.*, hierarchy
**histoire,** *f.*, story, history; **faire des —s,** to make a fuss
**historien,** *m.*, historian
**historique,** *m. or f.*, historical
**hiver,** *m.*, winter
**'hockey,** *m.*, hockey, field hockey
**'hollandais, –e,** Dutch
**'Hollande,** *f.*, Holland
**'homard,** *m.*, lobster
**homme,** *m.*, man; *pl.*, men, people; **— d'affaires,** business man; **— d'État,** statesman; **— du peuple,** common man; *as adj.*, male
**'Hongrie,** *f.*, Hungary
**honnête,** *m. or f.*, honest, upright, virtuous; (*after noun*), polite
**honnêtement,** honestly, frankly, honorably, politely
**honnêteté,** *f.*, honesty
**honneur,** *m.*, honor, credit
**honorable,** *m. or f.*, honorable
**'honte,** *f.*, shame; **avoir —,** to be ashamed
**hôpital,** *m.*, hospital
**'horde,** *f.*, horde
**horizon,** *m.*, horizon
**horreur,** *f.*, horror, dread, fright
**horrible,** *m. or f.*, horrible
**hors,** outside
**hospitalité,** *f.*, hospitality
**hostile,** *m. or f.*, hostile, inimical
**hostilité,** *f.*, hostility
**hôte,** *m.*, host, guest
**hôtel,** *m.*, hotel, town mansion,

large house; — **à appartements,** apartment hotel
**hôtesse,** *f.*, hostess
**'hublot,** *m.*, porthole
**'huguenot, -e,** Huguenot, Calvinist
**huile,** *f.*, oil
**'huit,** eight
**humain, -e,** human
**humanisme,** *m.*, humanism
**humaniste,** *m. or f.*, humanistic
**humanitaire,** *m. or f.*, humanitarian
**humanité,** *f.*, humanity, mankind, human nature; *pl.*, humanities, classical studies
**humble,** *m. or f.*, humble
**humeur,** *f.*, temperament, disposition, humor, mood
**humilier,** to humiliate
**humoriste,** *m.*, humorist
**humide,** *m. or f.*, moist, wet, damp
**'hurlement,** *m.*, howl, roar, yell
**'hurler,** to howl, roar, yell
**hygiène,** *f.*, hygiene
**hypocrisie,** *f.*, hypocrisy

## I

**ici,** here
**iconoclaste,** *m. or f.*, iconoclastic
**idéal,** *m.*, ideal
**idéalisme,** *m.*, idealism
**idée,** *f.*, idea, thought, notion
**identique,** *m. or f.*, identical
**identité,** *f.*, identity
**idiome,** *m.*, idiom, language, dialect
**idyllique,** *m. or f.*, idyllic
**ignorance,** *f.*, ignorance
**ignorant, -e,** ignorant
**ignorer,** to ignore, be ignorant of, not to know, be unaware of
**île,** *f.*, island, isle
**illuminer,** to illuminate
**illusion,** *f.*, illusion
**illustration,** *f.*, illustration
**illustre,** *m. or f.*, illustrious, famous, renowned, celebrated
**illustrer,** to illustrate
**îlot,** *m.*, islet
**il y a,** there is, there are
**image,** *f.*, picture, statue
**imaginaire,** *m. or f.*, imaginary, conceivable
**imagination,** *f.*, imagination
**s'imaginer,** to imagine, picture to oneself
**imitation,** *f.*, imitation
**imiter,** to imitate
**immense,** *m. or f.*, huge, stupendous, immense
**immensité,** *f.*, immensity, hugeness, boundlessness
**immeuble,** *m.*, estate, landed estate, building
**immigration,** *f.*, immigration
**immobile,** *m. or f.*, motionless
**immortel, -le,** immortal
**impassible,** *m. or f.*, impassive, motionless, unmoved
**impatience,** *f.*, impatience
**imperceptible,** *m. or f.*, imperceptible
**impérial, -e,** imperial
**imperméable,** *m.*, raincoat; — **ciré,** slicker
**imperméabilité,** *f.*, impermeability
**impétueu-x, -se,** impetuous
**impitoyable,** *m. or f.*, pitiless, merciless, ruthless, unsparing
**importance,** *f.*, importance
**important, -e,** important
**importer,** to import, to be of moment, matter; **il importe,** it is important
**imposer,** to impose
**impossible,** *m. or f.*, impossible
**imprégner,** to impregnate
**impresario,** *m.*, impresario
**impression,** *f.*, impression
**impressioniste,** *m. or f.*, impressionistic
**imprimer,** to print
**improviser,** to improvise, extemporize
**impuissance,** *f.*, impotence, powerlessness
**impuissant, -e,** powerless, impotent
**inattendu, -e,** unexpected, unforeseen, unhoped for

**incapable,** *m. or f.*, incapable
**incapacité,** *f.*, incapacity
**incessant, –e,** incessant, ceaseless
**incliner,** to incline, slope
**inconnu, –e,** unknown
**inconsciemment,** unconsciously
**inconvénient,** *m.*, disadvantage, harm, trouble
**incroyable,** *m. or f.*, unbelievable
**inculte,** *m. or f.*, uncultivated, wild
**indépendance,** *f.*, independence
**indépendant, –e,** independent
**Indes,** *f.*, Indies
**indien, –ne,** Indian
**Indien,** *m.*, Indian
**indifférence,** *f.*, indifference
**indifférent, –e,** indifferent
**indigné, -e,** indignant
**s'indigner,** to be indignant *or* shocked
**indiquer,** to indicate, point out, tell
**indispensable,** *m. or f.*, indispensable
**individu,** *m.*, individual
**individualisme,** *m.*, individualism
**individualiste,** *m. or f.*, individualistic
**individualité,** *f.*, individuality
**individuel, –le,** individual
**industrialisation,** *f.*, industrialization
**industrie,** *f.*, industry, trade
**industriel, –le,** industrial
**industriel,** *m.*, manufacturer, tradesman
**inégalité,** *f.*, inequality
**inévitable,** *m. or f.*, unavoidable, inevitable
**inexploité, –e,** unexploited
**inférieur, –e,** inferior, lower
**infernal, –e,** infernal, hellish
**infidèle,** *m. or f.*, infidel, unfaithful
**infini,** *m.*, infinite
**infiniment,** infinitely, extremely, exceedingly
**infirmerie,** *f.*, infirmary, sanitarium
**infirmière,** *f.*, nurse
**influence,** *f.*, influence
**influent, –e,** influential
**information,** *f.*, information
**informer,** to inform
**ingénieur,** *m.*, engineer
**ingénieu–x, –se,** ingenious, intelligent
**ingrat, –e,** ungrateful
**ingratitude,** *f.*, ingratitude
**inhibition,** *f.*, inhibition
**injuste,** *m. or f.*, unjust, unfair
**innombrable,** *m. or f.*, numberless
**inqui–et, –ète,** anxious, worried, disturbed
**inquiétant, –e,** disturbing, alarming, disquieting
**inquiétude,** *f.*, uneasiness, anxiety, fear, restlessness
**inquisiteur,** *m.*, inquirer, questioner, inquisitor
**insatisfait, –e,** unsatisfied, unappeased
**inscrire,** to enroll, inscribe, set down; **s'—,** to register
**insecte,** *m.*, insect
**insistance,** *f.*, insistence
**inspection,** *f.*, inspection
**inspiration,** *f.*, inspiration
**inspirer,** to inspire
**instable,** *m. or f.*, unstable
**installer,** to install; **s'—,** to install oneself, settle
**instance,** *f.*, solicitation; **sur l'— de,** on the insistence of
**instant,** *m.*, instant
**instinct,** *m.*, instinct
**instincti–f, –ve,** instinctive
**institution,** *f.*, institution
**instruction,** *f.*, instruction, education, teaching; **I— Publique,** Department of Education
**instruire,** to instruct, teach
**instrument,** *m.*, instrument
**insuffisant, –e,** insufficient
**insupportable,** *m. or f.*, unbearable, intolerable
**insurrection,** *f.*, insurrection, rebellion
**intact, –e,** intact, whole, entire
**intellectuel, –le,** intellectual

**intelligence,** *f.*, intelligence, cleverness
**intelligent, -e,** intelligent
**intense,** *m. or f.*, intense
**intensité,** *f.*, intensity
**intention,** *f.*, intention
**interdire,** to forbid
**intéressant, -e,** interesting
**intéresser,** to interest; **s'— à,** to be interested in
**intérêt,** *m.*, share, interest, concern
**intérieur, -e,** interior
**international, -e,** international
**Internationale,** *f.*, Internationale
**interne,** *m. or f.*, (of schools) boarder
**interpréter,** to interpret, explain
**interroger,** to question
**intervalle,** *m.*, interval, distance, space
**intervention,** *f.*, intervention
**intime,** *m. or f.*, intimate, private, close
**intimité,** *f.*, intimacy, privacy
**intolérable,** *m. or f.*, intolerable, unbearable
**intolérance,** *f.*, intolerance
**intolérant, -e,** intolerant
**intransigeant, -e,** uncompromising
**intrigue,** *f.*, plot
**introduction,** *f.*, introduction
**introduire,** to introduce
**inutile,** *m. or f.*, useless
**invasion,** *f.*, invasion
**inventer,** to invent
**invention,** *f.*, invention
**inverse,** *m. or f.*, reversed, contrary, opposite
**invincible,** *m. or f.*, invincible
**invisible,** *m. or f.*, invisible
**invitation,** *f.*, invitation
**irascible,** *m. or f.*, irascible, irritable, testy
**inviter,** to invite
**irlandais, -e,** Irish
**Irlandais,** *m.*, native of Ireland, Irishman
**Irlande,** *f.*, Ireland
**ironie,** *f.*, irony
**ironique,** *m. or f.*, ironic, ironical
**irresponsable,** *m. or f.*, irresponsible
**irritation,** *f.*, irritation
**irriter,** to irritate; **s'—,** to become irritated
**isoler,** to isolate
**issu (de),** derived (from)
**italien, -ne,** Italian; **à l'italienne,** in the Italian style
**Italien, -ne,** Italian, native of Italy

## J

**jadis,** formerly
**jalonner,** to stake out, mark out
**jalousie,** *f.*, jealousy
**jalou-x, -se,** jealous
**jamais,** never, ever; **si —,** if ever; **à —,** forever; **ne . . . —,** never
**jambe,** *f.*, leg
**Japon,** *m.*, Japan
**jardin,** *m.*, garden; **— de rochers,** rock garden
**jardinage,** *m.*, gardening
**jarre,** *f.*, jar, jug, can
**jaune,** *m. or f.*, yellow
**jazz,** *m.*, jazz
**jeter,** to throw, throw away
**jeu,** *m.*, game, sport, play
**jeune,** *m. or f.*, young
**jeune,** *m. or f.*, young person
**jeunesse,** *f.*, youth
**joie,** *f.*, joy
**joindre,** to join, unite; **se —,** to unite
**joint, -e,** joined, united
**joli, -e,** pretty
**jouer,** to play
**jouet,** *m.*, plaything, toy
**joueur,** *m.*, player
**joueu-r, -se,** playing, playful
**jouir (de),** to enjoy, be delighted with, revel in
**jouissance,** *f.*, pleasure, enjoyment
**jour,** *m.*, day; **— de fête,** holiday; **il fait —,** it is daylight; **en plein —,** in broad daylight
**journal,** *m.*, newspaper, journal
**journaliste,** *m.*, journalist

**journée,** *f.*, day
**joyeu–x, –se,** joyous, happy, merry
**juge,** *m.*, judge
**jugement,** *m.*, judgment
**juger,** to judge, form an opinion
**jui–f, –ve,** Jewish
**juillet,** *m.*, July
**juin,** *m.*, June
**jurer,** to swear
**jusque,** to, as far as, till, until; **jusqu'à,** up to, as far as; **—-là,** until then
**juste,** *m. or f.*, exact, right, honest, accurate, just, fair
**juste** (*adv.*), justly, rightly, exactly
**justement,** exactly, precisely, rightly, justly
**justice,** *f.*, justice

## L

**là,** there, that, then (of time); **de —,** from that point, hence
**là-bas,** yonder, over there
**laboratoire,** *m.*, laboratory
**lac,** *m.*, lake; **— Salé,** Great Salt Lake
**lâcher,** to unloose, let go, release
**lacune,** *f.*, want, gap, deficiency
**laid, –e,** ugly
**laideur,** *f.*, ugliness
**laine,** *f.*, wool; **vivre dans la —,** to live in luxury
**laisser,** to let, allow, leave
**laisser-aller,** *m.*, ease, negligence, lack of restraint
**lait,** *m.*, milk
**laiteu–x, –se,** milky
**laitue,** *f.*, lettuce
**lampe,** *f.*, lamp
**lance,** *f.*, lance
**lancer,** to hurl, throw
**langage,** *m.*, language, speech
**langouste,** *f.*, spiny lobster, crawfish
**langue,** *f.*, tongue, language
**lapin,** *m.*, rabbit
**large,** *m. or f.*, wide, spacious
**largement,** widely, generously, to a great extent, largely
**largesse,** *f.*, largess, liberality, munificence
**largeur,** *f.*, width
**larme,** *f.*, tear
**lasser,** to weary, tire; **se —,** to become tired
**lassitude,** *f.*, weariness, lassitude
**latin,** *m.*, Latin
**latin, –e,** Latin
**lauréat, –e,** laureate, prize winner; **— de la bourse Rhodes,** winner of the Rhodes Scholarship
**laver,** to wash
**leçon,** *f.*, lesson
**lecteur, lectrice,** reader
**lecture,** *f.*, reading
**légal, –e,** legal, lawful, legitimate
**légalement,** legally
**légende,** *f.*, legend
**lég–er, –ère,** light, flimsy, slight
**légèrement,** lightly, slightly
**législati–f, –ve,** legislative
**léguer,** to bequeath
**lendemain,** *m.*, next day, day after; **— matin,** next morning
**lent, –e,** slow, sluggish
**lentement,** slowly
**lequel, laquelle, lesquels, lesquelles,** which, which one, who, whom
**léthargie,** *f.*, lethargy
**lettre,** *f.*, letter; *pl.*, learning, letters
**lever,** *m.*, getting up, rising, levee
**lever,** to lift, lift up, raise; **se —,** to rise, get up
**lèvre,** *f.*, lip
**lexique,** *m.*, lexicon
**libéral,** *m.*, liberal
**libérer,** to free, liberate
**liberté,** *f.*, liberty, freedom
**libertin,** *m.*, libertine, rake
**libraire,** *m.*, bookseller
**librairie,** *f.*, publishing house, bookshop
**libre,** *m. or f.*, free

**licencié,** *m.*, licentiate, B. A.
**lien,** *m.*, tie, bond
**lier,** to tie, bind, link
**lierre,** *m.*, ivy
**lieu,** *m.*, place, spot; **au — de,** in the place of, instead of; **avoir —,** to take place
**ligne,** *f.*, line, range, path, way
**ligue,** *f.*, league, confederacy
**limite,** *f.*, limit, boundary
**limité, –e,** limited, bounded
**limiter,** to limit, restrict
**liqueur,** *f.*, liquor, spirits, cordial, liqueur
**lire,** to read
**lisière,** *f.*, border, edge, outskirts
**liste,** *f.*, list
**lit,** *m.*, bed
**littéraire,** *m. or f.*, literary
**littéral, –e,** literal
**littérature,** *f.*, literature
**livre,** *m.*, book
**livre,** *f.*, pound
**livrer,** to deliver, fight (a battle); **se — à,** to devote oneself to
**local, –e,** local
**locomotive,** *f.*, locomotive, engine
**loge,** *f.*, box (in a theater)
**loger,** to lodge
**logette,** *f.*, small lodge, small cell
**logique,** *f.*, logic
**logique,** *m. or f.*, logical
**loi,** *f.*, law
**loin,** far off, at a distance, remote; **de —,** from a distance
**lointain,** *m.*, distance
**loisir,** *m.*, leisure, leisure time
**Londres,** *m.*, London
**long, –ue,** long; **le — de,** along, **de — en large,** up and down, to and fro
**longuement,** at length, for a long time
**longueur,** *f.*, length, duration
**longtemps,** a long time
**lorgnon,** *m.*, lorgnon; *pl.*, eyeglasses
**Lorraine,** *m.*, Lorraine
**lors (de),** at the time, then
**lorsque,** when
**louer,** to praise; to rent, hire, hire out
**lourd, –e,** heavy
**loyal, –e,** loyal
**loyer,** *m.*, rent
**lui-même,** himself, herself, itself
**lumière,** *f.*, light; **mettre en —,** to elucidate, throw light upon
**lumineu–x, –se,** luminous, bright
**lunaire,** *m. or f.*, lunar, of the moon
**lune,** *f.*, moon
**lunette,** *f.*, spyglass, *pl.*, spectacles
**lutte,** *f.*, struggle, wrestling, battle; **en —,** struggling
**lutter,** to struggle, wrestle
**luxe,** *m.*, luxury
**luxueu–x, –se,** luxurious, rich, sumptuous
**lycée,** *m.*, French school which prepares for the university
**lyrique,** *m. or f.*, lyrical
**lys,** *m.*, lily

## M

**Macédoine,** *f.*, Macedonia
**machine,** *f.*, machine; **— à écrire,** typewriter
**mâchoire,** *f.*, jaw
**madame,** *f.*, madam, Mrs.
**magasin,** *m.*, store
**magazine,** *f.*, magazine
**magicien,** *m.*, magician
**magistral, –e,** magisterial, commanding
**magnifique,** *m. or f.*, magnificent, splendid, gorgeous, grand
**mai,** *m.*, May
**maillot,** *m.*, bathing suit, sweater
**main,** *f.*, hand
**maintenant,** now
**maintenir,** to maintain, keep
**maire,** *m.*, mayor
**mais,** but; **— oui,** why yes, oh yes
**maïs,** *m.*, maize, Indian corn
**maison,** *f.*, house, mansion, home; **à la —,** at home; **— de campagne,** country house

**maisonnette,** *f.*, little house, cottage
**maître,** *m.*, teacher, master; — **d'hôtel,** head waiter
**maîtresse,** *f.*, mistress, teacher, instructor
**maîtrise,** *f.*, mastery, mastership
**majesté,** *f.*, majesty
**majestueu–x, –se,** majestic
**majestueusement,** majestically
**majordome,** *m.*, majordomo, steward
**majorité,** *f.*, majority
**majuscule,** *m. or f.*, capital
**mal,** bad, ill, with difficulty
**mal,** *m.*, pain, evil
**malade,** *m. or f.*, patient, sick person
**malade,** *m. or f.*, sick, ill, diseased
**maladie,** *f.*, disease, illness, sickness
**maladresse,** *f.*, awkwardness
**malaise,** *m.*, uneasiness, discomfort
**malchance,** *f.*, bad luck
**mâle,** *m.*, male
**malgré,** in spite of
**malheur,** *m.*, misfortune, unhappiness, bad luck
**malheureusement,** unfortunately
**malheureu–x, –se,** unfortunate, unhappy
**malle,** *f.*, trunk; **faire une —,** to pack a trunk
**malveillant, –e,** malevolent, ill-disposed, spiteful
**Manche,** *f.*, English Channel
**manette,** *f.*, lever
**manger,** to eat, devour, consume
**manier,** to handle
**manière,** *f.*, manner, fashion, way, sort
**manœuvrer,** to maneuver, handle
**manque,** *m.*, lack, want, need
**manquer,** to lack, miss, fail
**mansuétude,** *f.*, mildness, gentleness, forbearance
**manucure,** *f.*, manicure
**manuscrit,** *m.*, manuscript
**marbre,** *m.*, marble statue, marble tiling
**marchand,** *m.*, merchant
**marchande,** *f.*, merchant
**marchandise,** *f.*, merchandise, goods, wares
**marche,** *f.*, walking, walk, march, step, stair, course
**marché,** *m.*, market, mart; **faire son —,** to do one's marketing
**marcher,** to march, walk, go, work
**maréchal,** *m.*, marshal
**mari,** *m.*, husband
**mariage,** *m.*, marriage
**marier,** to marry, join in marriage
**marin, –e,** marine, sea, sea-going
**marine,** *f.*, navy
**marquer,** to mark
**marquise,** *f.*, marchioness
**mars,** *m.*, March
**martyre,** *m.*, martyrdom
**masque,** *m.*, mask
**masquer,** to mask, hide, conceal
**masse,** *f.*, mass, heap
**massi–f, –ve,** massive
**matérialisme,** *m.*, materialism
**matériel, –le,** material, considerable
**match,** *m.*, match, game
**mathématicien,** *m.*, mathematician
**mathématique,** *m. or f.*, mathematical
**mathématiques,** *f. pl.*, mathematics
**matière,** *f.*, matter, substance; **table des —s,** table of contents
**matin,** *m.*, morning
**matinée,** *f.*, matinee
**maturité,** *f.*, maturity
**maudire,** to curse
**maure,** *m. or f.*, Moorish
**mauvais, –e,** bad, wrong
**mécanicien,** *m.*, mechanic
**mécanique,** *m. or f.*, mechanical
**mécanisme,** *m.*, mechanism
**méchant, –e,** bad, wicked
**mécontent, –e,** discontented
**mécontentement,** *m.*, discontent
**médecin,** *m.*, doctor
**médecine,** *f.*, medicine

**médiéviste,** *m. or f.*, medievalist
**médiocre,** *m. or f.*, mediocre, common
**médiocrité,** *f.*, mediocrity
**méditation,** *f.*, meditation
**méfiance,** *f.*, distrust
**méfiant, -e,** distrustful, suspicious, cautious
**se méfier (de),** to distrust, mistrust, suspect
**mégaphone,** *m.*, megaphone
**meilleur,** better, best
**mélange,** *m.*, mixture
**mêler,** to mix, blend, mix together, temper
**mélo** (*abbr. for* **mélodrame**), *m.*, melodrama
**melon,** *m.*, melon
**membre,** *m.*, member, limb
**même,** same, even, very, self; **tout de —,** however, all the same
**mémoire,** *m.*, memorandum
**mémoire,** *f.*, memory
**menacer,** to threaten
**ménage,** *m.*, household, family
**mener,** to lead, conduct, take
**mépris,** *m.*, scorn
**mépriser,** to scorn
**mer,** *f.*, sea
**mercerie,** *f.*, haberdashery, mercery
**mère,** *f.*, mother; **belle-—,** mother-in-law
**mériter,** to deserve, merit
**Mérovingien,** *m.*, Merovingian
**merveille,** *f.*, wonder, marvel
**merveilleusement,** marvelously, wonderfully
**merveilleu-x, -se,** marvelous, wonderful
**mesquin, -e,** small, mean, petty
**message,** *m.*, message
**messe,** *f.*, mass
**mesure,** *f.*, measure; **à — que,** in proportion as
**mesurer,** to measure, calculate
**métairie,** *f.*, small farm (usually held on condition that the landlord shall receive a share of the produce)
**métal,** *m.*, metal
**métaphysique,** *m. or f.*, metaphysical
**méthode,** *f.*, method, system
**méthodiste,** *m. or f.*, Methodist
**métier,** *m.*, craft, profession, trade, loom, work bench
**mètre,** *m.*, meter (39.37 inches)
**métropole,** *f.*, metropolis, city
**mets,** *m.*, dish, food
**mettre,** to put, set, lay, place; **se — à,** to begin, put oneself to; **— à la porte,** to put out, put out of doors
**meuble,** *m.*, piece of furniture
**meubler,** to furnish
**meute,** *f.*, pack (of animals)
**mi** (invariable particle) middle, half; **à —-voix,** in a low tone, in an undertone
**miche,** *f.*, round loaf
**midi,** *m.*, south, noon
**miel,** *m.*, honey
**mieux,** better, best; **de son —,** to the best of his ability
**milice,** *f.*, militia
**milieu,** *m.*, middle, center, midst, environment; **au — de,** in the midst of
**militaire,** *m. or f.*, military
**mille,** *m.*, mile
**mille,** thousand
**milliard,** *m.*, billion
**milliardaire,** *m.*, billionaire
**millier,** *m.*, thousand
**million,** *m.*, million
**millionnaire,** *m.*, millionaire
**mimer,** to mimic, imitate
**mince,** *m. or f.*, thin, small, trivial
**mine,** *f.*, mine
**miner,** to undermine, sap, impair
**minimum,** *m.*, minimum
**ministre,** *m.*, minister; **premier —,** prime minister
**minorité,** *f.*, minority
**minuit,** *m.*, midnight
**minuscule,** *m. or f.*, tiny, diminutive
**minute,** *f.*, minute
**miracle,** *m.*, miracle, wonder
**miraculeu-x, -se,** miraculous
**miroir,** *m.*, mirror

**mise,** *f.*, putting, placing, setting; — **au point,** focusing
**mission,** *f.*, mission
**mode,** *f.*, fashion, custom, manner, method, style
**modèle,** *m.*, model, example
**modeler,** to model, form, shape, mold
**moderne,** *m. or f.*, modern
**moderniser,** to modernize
**modernisme,** *m.*, modernism
**moderniste,** *m. or f.*, modernistic
**modeste,** *m. or f.*, modest, shy, humble
**modestie,** *f.*, modesty
**modifier,** to modify
**mœurs,** *f. pl.*, customs, words, manners
**moi-même,** *m. or f.*, myself
**moindre,** least
**moins,** less, fewer, least; **du —,** at least; **au —,** at least
**mois,** *m.*, month
**moisson,** *f.*, harvest
**moitié,** *f.*, half
**moment,** *m.*, moment, time
**monarchie,** *f.*, monarchy
**monastère,** *m.*, monastery
**mondain, –e,** worldly, of the social world, social
**monde,** *m.*, world; **beau —,** fashionable society; **tout le —,** everybody
**mondial, –e,** world, world-wide
**mongol, –e,** Mongol, Mongolian
**monnaie,** *f.*, money, currency, change
**monotone,** *m. or f.*, monotonous
**monsieur,** Mr., sir
**monstrueu–x, –se,** monstrous
**montagne,** *f.*, mountain
**monter,** to come up, go up, ascend, mount, climb, rise, bring up, carry up
**montrer,** to show
**monument,** *m.*, monument
**moral, –e,** moral
**morale,** *f.*, ethics, morality
**moraliste,** *m.*, moralist
**Moravie,** *f.*, Moravia
**morceau,** *m.*, piece, strip, fragment
**mort,** *f.*, death
**mortel, –le,** mortal, deadly
**moquer,** to mock; **se — de,** to make fun of
**moqueu–r, –se,** mocking
**mot,** *m.*, word, speech, saying, note
**moteur,** *m.*, motor, engine, motive power
**mou, mol, molle,** soft, resilient
**mourir,** to die
**mousse,** *m.*, cabin boy
**mousse,** *f.*, moss
**mouton,** *m.*, sheep
**mouvant, –e,** moving
**mouvement,** *m.*, movement, motion, activity
**moyen, –ne,** middle, average
**moyen,** *m.*, power; way, resource, manner, means; **au — de,** by means of; **—-âge,** *m.*, Middle Ages
**moyen-âgeu–x, –se,** of the Middle Ages, medieval
**muet, –te,** silent, dumb
**multicolore,** *m. or f.*, multicolored, many-colored
**multiple,** *m. or f.*, multiple
**multiplicité,** *f.*, multiplicity
**municipal, –e,** municipal
**mur,** *m.*, wall
**mûr, –e,** ripe
**mûrir,** to ripen
**murmurer,** to murmur
**musée,** *m.*, museum
**musicien, –ne,** musician
**musique,** *f.*, music
**mystère,** *m.*, mystery
**mystérieu–x, –se,** mysterious

## N

**nageuse,** *f.*, swimmer
**naï–f, –ve,** simple, naïve
**naissance,** *f.*, birth
**naïveté,** *f.*, innocence, simpleness, artlessness, ingenuousness
**naître** (*past part.* **né, –e**), to be born, arise
**napoléonien, –ne,** Napoleonic
**nasal, –e,** nasal

**nation,** *f.*, nation
**national, -e,** national
**naturalisme,** *m.*, naturalism
**naturaliste,** *m.*, naturalist
**naturaliste,** *m. or f.*, naturalist, naturalistic
**nature,** *f.*, nature
**naturel, -le,** natural
**naturellement,** naturally
**navire,** *m.*, boat, ship, vessel
**navré, -e,** broken-hearted, distressed
**né, -e,** see **naître**
**ne,** not; — . . . **pas,** not; — . . . **guère,** scarcely, hardly, but little; — . . . **que,** only, but, solely; — . . . **jamais,** never; — . . . **plus,** no more; — . . . **rien,** nothing
**néanmoins,** nevertheless
**néant,** *m.*, nothing, nothingness, emptiness
**nécessaire,** *m. or f.*, necessary
**nécessairement,** necessarily
**nécessité,** *f.*, necessity
**négligent, -e,** negligent, careless
**nègre,** *m.*, Negro
**neige,** *f.*, snow; **chasse-—,** *m.*, snow plow
**neigeu-x, -se,** snowy
**nerveu-x, -se,** nervous
**net, -te,** clean, clear, sharp, short
**neu-f, -ve,** new
**neuvième,** *m. or f.*, ninth
**neveu,** *m.*, nephew; **arrière-petit-—,** great-grand nephew
**newtonien, -ne,** Newtonian
**new-yorkais, -e,** New York, (*adj.*); *as noun*, New Yorker
**nez,** *m.*, nose
**ni,** neither; **— . . . —,** neither . . . nor
**nickelé, -e,** plated with nickel
**niveau,** *m.*, level
**noble,** *m. or f.*, noble
**noblesse,** *f.*, nobility
**Noël,** *m.*, Christmas
**nœud,** *m.*, knot, bow
**noir, -e,** black
**nom,** *m.*, name, noun
**nomade,** *m.*, nomad
**nomade,** *m. or f.*, nomad, wandering
**nombre,** *m.*, number
**nombreu-x, -se,** numerous
**nommer,** to name; **se —,** to be called
**non,** no; **— pas,** not
**nord,** *m.*, north
**nord-ouest,** *m.*, northwest
**normal, -e,** normal
**Normand,** *m.*, Norman, inhabitant of Normandy
**normand, -e,** Norman
**Normandie,** *f.*, Normandy
**note,** *f.*, note
**noter,** to note
**nourrir,** to feed, nourish
**nourriture,** *f.*, food, nourishment
**nouveau, nouvel, nouvelle,** new; **de —,** again; **—-riche,** newly rich
**nouveauté,** *f.*, novelty, newness
**nouvelle,** *f.*, news, novelette, short story
**Nouvelle Angleterre,** *f.*, New England
**nouvelliste,** *m. or f.*, news writer, short-story writer
**novembre,** *m.*, November
**novice,** *m. or f.*, novice
**nu, -e,** nude, naked
**nuage,** *m.*, cloud
**nuance,** *f.*, shade, tint
**nuit,** *f.*, night, darkness
**nul, -le,** no, not any, no one; **—le part,** nowhere
**numérique,** *m. or f.*, numerical
**numéro,** *m.*, number
**nurse,** *f.*, nurse (who has had good medical training)
**nymphe,** *f.*, nymph

## O

**oasis,** *f.*, oasis
**obéissance,** *f.*, obedience
**objet,** *m.*, object, aim, purport
**objectivité,** *f.*, objectivity
**obligatoire,** *m. or f.*, obligatory
**obliger,** to oblige, compel
**oblique,** *m. or f.*, oblique, slanting; **en —,** obliquely

**obscurité,** *f.*, obscurity, darkness
**observateur,** *m.*, observer
**observation,** *f.*, observation
**observatoire,** *m.*, observatory
**observer,** to observe, remark, point out
**obtenir,** to obtain, get, gain
**occasion,** *f.*, occasion, opportunity
**occulte,** *m. or f.*, hidden, secret
**occuper,** to occupy, take up, fill; **s'— de,** to be busy with; **être occupé,** to be busy
**océan,** *m.*, ocean
**odorant, –e,** odoriferous, pungent
**œil,** *m.*, (*pl.* **yeux**), eye; **— de bœuf,** bull's-eye
**œuvre,** *f.*, work; **chef d'—,** masterpiece
**office,** *m.*, worship, service, office
**officiel, –le,** official
**officier,** *m.*, officer
**offre,** *f.*, offer
**offrir,** to offer, present
**ogival, –e,** ogival
**ogive,** *f.*, pointed arch; **en —,** pointed, ogival
**oiseau,** *m.*, bird
**oisi–f, –ve,** idle
**oisif,** *m.*, idler
**ombrage,** *m.*, shade, umbrage, distrust
**ombre,** *f.*, shadow, shade, ghost, spirit
**omission,** *f.*, omission
**on,** one, they, we, you, people, men, it, somebody
**onde,** *f.*, wave, surge
**onduler,** to undulate, wave, curl
**onze,** eleven
**opéra,** *m.*, opera
**opinion,** *f.*, opinion
**opposer,** to oppose
**opposition,** *f.*, opposition
**optimisme,** *m.*, optimism
**optimiste,** *m. or f.*, optimist
**optimiste,** *m. or f.*, optimistic
**or,** now, well, but, thus, hence, however
**or,** *m.*, gold
**orange,** *m. or f.*, orange color
**orateur,** *m.*, orator
**oratorio,** *m.*, oratorio
**orchestre,** *m.*, orchestra, band
**ordinaire,** *m. or f.*, ordinary, customary, usual, common
**ordonner,** to order, arrange
**ordre,** *m.*, order
**oreille,** *f.*, ear
**organe,** *m.*, organ
**organisation,** *f.*, organization
**organiser,** to organize
**organisme,** *m.*, organism
**orgues,** *f. pl.*, (musical) organ
**orgueil,** *m.*, pride, conceit
**orient,** *m.*, east, orient
**originaire,** *m. or f.*, native
**original, –e,** original
**originalité,** *f.*, originality
**origine,** *f.*, origin
**ornement,** *m.*, ornament
**orner,** to adorn, decorate, ornament
**oser,** to dare, risk
**ostentation,** *f.*, ostentation, show
**ostracisme,** *m.*, ostracism
**otage,** *m.*, hostage
**ôter,** to take off, take away, remove
**ou,** or; **— . . . —,** either . . . or
**où,** where, when, in which; **d'—,** whence
**oublier,** to forget
**ouest,** *m.*, west
**oui,** yes, indeed
**outil,** *m.*, tool, implement
**ouverture,** *f.*, opening, overture, beginning
**ouvrage,** *m.*, work
**ouvreuse,** *f.*, usher
**ouvrier,** *m.*, workman, laborer, worker
**ouvri–er, –ère,** operative, working
**ouvrir,** to open
**ouvroir,** *m.*, workshop, workroom

## P

**pacifiste,** *m. or f.*, pacifist
**page,** *f.*, page
**païen, –ne,** pagan
**pain,** *m.*, bread; **petit —,** roll

**paire,** *f.*, pair
**paix,** *f.*, peace
**palais,** *m.*, palace
**pâle,** *m. or f.*, pale
**pâlir,** to grow pale
**palourde,** *f.*, clam
**pamplemousse,** *m.*, grapefruit
**panneau,** *m.*, panel
**panorama,** *m.*, panorama
**pantalon,** *m.*, trousers
**panthéisme,** *m.*, pantheism
**papier,** *m.*, paper; **— de couleur,** colored paper
**paquebot,** *m.*, steamship, liner
**paquet,** *m.*, package
**par,** by, by means of, through, according to, for, a, on, in
**paradis,** *m.*, paradise
**paradoxe,** *m.*, paradox
**paraître,** to appear, seem
**parallèle,** *m. or f.*, parallel
**parc,** *m.*, park
**parce que,** because
**parcourir,** to travel over, look over, go over, go, cross
**pardessus,** *m.*, overcoat
**pardonner,** to pardon
**pareil, -le,** similar
**parent,** *m.*, parent, relative
**parente,** *f.*, parent, relative
**parer,** to adorn, embellish, set off (against)
**paresseu-x, -se,** lazy, idle, sluggish
**parfait, -e,** perfect
**parfaitement,** perfectly
**parfois,** sometimes, occasionally
**parisien, -ne,** Parisian
**Parisien,** *m.*, Parisian
**parlement,** *m.*, parliament
**parler,** to speak, talk
**Parme,** Parma
**parmi,** among, of, from
**paroi,** *f.*, wall
**parole,** *f.*, word, language
**parquet,** *m.*, floor
**part,** *f.*, share; **prendre — à,** to take part in; **nulle —,** nowhere; **quelque —,** somewhere
**partager,** to divide, share
**partenaire,** *m. or f.*, partner
**parti,** *m.*, party, side
**participer,** to participate, to take part in
**particuli-er, -ère,** peculiar, private, particular, special, exact, precise
**particulièrement,** particularly
**partie,** *f.*, part, game, party; **faire — à,** to join
**partir,** to go, go away, leave, depart, set out; **à — de,** from, on, starting, reckoning from, beginning with
**partisan,** *m.*, partisan, follower
**partout,** everywhere
**parvenir (à),** to succeed, attain, arrive
**pas,** no, not; **— du tout,** not at all
**pas,** *m.*, step, pace; **— de danse,** dance step
**passage,** *m.*, passage
**passag-er, -ère,** passing, transitory, short-lived, fleeting
**passager,** *m.*, passenger
**passant,** *m.*, passerby
**passé,** *m.*, past
**passer,** to pass, go by, spend, put on, pass through; **se — de,** to do without; **se —,** to take place
**passerelle,** *f.*, foot bridge, gangway, gang plank
**passion,** *f.*, passion, strong feeling, prejudice
**passionné, -e,** passionate, impassioned
**pasteur,** *m.*, pastor
**pâté,** *m.*, pastry
**pathétique,** *m. or f.*, pathetic
**patiné, -e,** patinated, covered with patina (a green film)
**patrie,** *f.*, fatherland, mother country
**patriotique,** *m. or f.*, patriotic
**patriotisme,** *m.*, patriotism
**patte,** *f.*, paw, foot, leg
**pauvre,** *m. or f.*, poor
**pavot,** *m.*, poppy
**payer,** to pay
**pays,** *m.*, country
**paysage,** *m.*, landscape

**paysagiste,** *m.*, landscape painter
**paysan,** *m.*, peasant, countryman
**paysan, -ne,** rustic, rural
**paysanne,** *f.*, peasant, country woman
**pêche,** *f.*, fishing, angling
**péché,** *m.*, sin
**pécher,** to sin
**pécheur,** *m.*, sinner
**pédant, -e,** pedantic
**pédantisme,** *m.*, pedantry
**peindre,** to paint
**peine,** *f.*, pain, hardship, grief, trouble, difficulty; **avec —,** painfully, with difficulty; **à —,** hardly, scarcely; **sans —,** easily, without difficulty
**peintre,** *m.*, painter, artist
**peinture,** *f.*, paint, painting, picture
**pèlerin,** *m.*, pilgrim
**pelouse,** *f.*, lawn, greensward
**pendant,** during, for; **— que,** while
**pendule,** *f.*, clock
**pénétrer,** to penetrate
**pénible,** *m. or f.*, painful, difficult
**pensée,** *f.*, thought, idea
**penser,** to think
**penseur,** *m.*, thinker
**pension,** *f.*, pension, annuity, board, boarding-house; **— alimentaire,** alimony
**pente,** *f.*, slope, inclination
**perception,** *f.*, perception
**percer,** to pierce
**percevoir,** to perceive, notice
**perdre,** to lose
**père,** *m.*, father; **Père Noël,** Santa Claus
**perfection,** *f.*, perfection
**perfectionnement,** *m.*, improvement, perfection, finishing
**perfectionner,** to perfect
**périlleu-x, -se,** perilous, dangerous
**période,** *f.*, period
**permettre,** to permit, allow
**persécuter,** to persecute
**personnage,** *m.*, personage, person, character
**personne,** *f.*, person; **ne . . . —,** no one; **en —,** personally
**personnel, -le,** personal
**perte,** *f.*, loss; **à — de vue,** as far as the eye can see
**pessimisme,** *m.*, pessimism
**pessimiste,** *m. or f.*, pessimist, pessimistic
**petit, -e,** small, little, petty
**peu,** little, few, scarcely; **— de chose,** mere trifle, of little value; **à — près,** almost; **— à —,** little by little
**peu,** *m.*, small amount, little
**peuple,** *m.*, people
**peuplé, -e,** populated
**peupler,** to people
**peur,** *f.*, fear, fright, dread; **avoir —,** to be afraid
**peut-être,** perhaps
**phase,** *f.*, phase, aspect, stage
**phénomène,** *m.*, phenomenon
**philosophe,** *m. or f.*, philosopher
**philosopher,** to philosophize
**philosophie,** *f.*, philosophy
**photographie,** *f.*, photograph
**phrase,** *f.*, phrase
**physicien, -ne,** physicist, natural philosopher
**physique,** *m. or f.*, physical
**pianiste,** *m. or f.*, pianist
**piano,** *m.*, piano
**pièce,** *f.*, piece, room; **— de théâtre,** play
**pied,** *m.*, foot; **à —,** on foot
**pierre,** *f.*, stone
**pierreries,** *f. pl.*, jewels, precious stones
**piéton,** *m.*, pedestrian
**pieu-x, -se,** pious
**pile,** *f.*, pile, heap, (bridge) pier
**pillard, -e,** robber, pillager, robbing
**piloter,** to pilot
**pince,** *f.*, claw
**pionnier,** *m.*, pioneer
**se piquer (de),** to pride oneself (on), take offense (at)
**pirate,** *m.*, pirate
**pire,** *m. or f.*, worse
**pirouetter,** to pirouette
**piscine,** *f.*, swimming pool

**place,** *f.*, place, spot, seat, room, square; **sur —,** on the spot, in place
**placement,** *m.*, investment
**placer,** to place, put, invest
**plafond,** *m.*, ceiling
**plage,** *f.*, beach, shore
**plaindre,** to pity; **se —,** to complain, moan
**plaine,** *f.*, plain
**plaire,** to please; **se —,** to like
**plaisant, –e,** pleasant, agreeable
**plaisir,** *m.*, pleasure
**plan,** *m.*, plane, map, drawing, plan
**planche,** *f.*, plank, board
**plancher,** *m.*, floor
**planète,** *f.*, planet
**plantation,** *f.*, plantation, planting arrangement
**plante,** *f.*, plant
**planter,** to plant
**plat,** *m.*, dish
**plateau,** *m.*, tray, tableland, plateau
**platonique,** *m. or f.*, platonic
**plein, –e,** full
**pleurer,** to weep, sob
**pleuvoir,** to rain
**plier,** to fold, bend, bring under
**plonger,** to plunge, dive
**plongeur,** *m.*, diver
**plongeuse,** *f.*, diver
**pluie,** *f.*, rain
**plume,** *f.*, feather, pen
**plupart,** *f.*, majority, greater part
**plus,** more, most; more and more; **ne . . . —,** no more, no longer
**plusieurs,** various, several
**plus tôt,** sooner
**plutôt,** rather; **— que,** rather than
**poche,** *f.*, pocket
**poème,** *m.*, poem
**poésie,** *f.*, poetry, poem
**poète,** *m.*, poet
**poétesse,** *f.*, poetess
**poétique,** *m. or f.*, poetic
**poids,** *m.* (*sing.*), weight
**poing,** *m.*, fist
**point,** *m.*, point; **— du tout,** not at all
**poison,** *m.*, poison
**poisson,** *m.*, fish; **demi-—,** half fish
**poli, –e,** polite, polished
**police,** *f.*, police
**policier,** *m.*, policeman
**polir,** to polish
**politesse,** *f.*, politeness
**politicien,** *m.*, politician
**politique,** *f.*, politics, policy
**politique,** *m. or f.*, political
**politique,** *m.*, politician
**polonais, –e,** Polish
**polychrome,** *m. or f.*, polychrome, many-colored
**pomme,** *f.*, apple; **— de terre,** potato
**pompier,** *m.*, fireman
**poncif,** *m.*, pounced drawing, conventionalism, stereotyped form
**pont,** *m.*, bridge
**populaire,** *m. or f.*, popular
**popularité,** *f.*, popularity
**population,** *f.*, population
**port,** *m.*, harbor, port
**porte,** *f.*, door, gate
**porter,** to carry, wear, convey, hit, deal, strike (a blow); **bien portant,** well
**porteur,** *m.*, porter
**portrait,** *m.*, portrait
**portugais, –e,** Portuguese
**poser,** to place, put, ask (a question)
**positiviste,** *m. or f.*, positivist
**posséder,** to possess
**possible,** *m. or f.*, possible; **faire son —,** to do one's best
**poulet,** *m.*, chicken
**poupée,** *f.*, doll
**pour,** for, per, towards, in order to; **— que,** in order that
**pourquoi,** why; **— faire ?** why?
**pourtant,** however
**poursuite,** *f.*, pursuit
**poursuivre,** to follow, pursue, seek
**pourvoir,** to provide, invest with, supply

**pourvu que,** provided that
**pousser,** to push, grow, urge, utter
**pouvoir,** *m.*, power
**pouvoir,** to be able to, can
**prairie,** *f.*, prairie, meadow
**pratiquer,** to practise
**précédent, -e,** precedent, former, previous
**précéder,** to precede
**préceptorial,** *m.*, preceptorial
**précis, -e,** precise, exact, accurate
**précieu-x, -se,** precious, valuable, affected, finical, over-nice
**se précipiter,** to rush
**précoce,** precocious
**prédicateur,** *m.*, preacher
**prédire,** to predict
**préférable,** *m. or f.*, preferable
**préféré, -e,** preferred, favorite
**préférence,** *f.*, preference
**préférer,** to prefer
**préjugé,** *m.*, prejudice
**premi-er, -ère,** first
**prendre,** to take, buy, reserve; — **goût à,** to get a taste for; — **part à,** to take part in; — **parti,** to take sides; — **à,** to take away from; — **au sérieux,** to take seriously; — **dans,** to take out of; — **sur,** to take off; **s'y —,** to go to work, go about
**prénom,** *m.*, Christian name
**préoccupation,** *f.*, preoccupation, thought
**préparation,** *f.*, preparation
**préparer,** to prepare
**près de,** near
**présence,** *f.*, presence
**présent,** *m.*, present
**présent, -e,** present
**présenter,** to present, introduce, offer
**préserver,** to preserve
**président,** *m.*, president
**présidente,** *f.*, president
**présidentiel, -le,** presidential
**présider,** to preside, preside over
**presque,** almost, nearly
**presse,** *f.*, press
**presser,** to press, hurry; **pressé,** in a hurry
**prestidigitateur,** *m.*, magician
**prestige,** *m.*, prestige
**prêt, -e (à),** ready
**prétendre,** to claim
**prêter,** to lend
**prétexte,** *m.*, pretext
**preuve,** *f.*, proof, evidence, testimony
**prévoir,** to foresee
**prier,** to pray
**prière,** *f.*, prayer
**prime,** *f.*, premium, bonus
**primiti-f, -ve,** primitive
**prince,** *m.*, prince
**princesse,** *f.*, princess
**principal, -e,** principal, main
**principalement,** principally, mainly
**principe,** *m.*, principle, primary cause, source
**printemps,** *m.*, spring, springtime
**prison,** *f.*, prison
**privatisme,** *m.*, privatism
**privé, -e,** private
**priver,** to deprive
**privilège,** *m.*, privilege, exemption, favor
**privilégié, -e,** privileged
**prix,** *m.*, price, prize, cast
**probable,** *m. or f.*, probable
**probablement,** probably
**problème,** *m.*, problem
**prochain, -e,** next, approaching, coming
**prodigeu-x, -se,** prodigious
**prodigeusement,** prodigiously
**prodigue,** *m. or f.*, prodigal
**producteur,** *m.*, producer
**production,** *f.*, production; — **en série,** mass production
**produire,** to produce, cause; **se —,** to be brought about, be brought forth, occur
**produit,** *m.*, product
**professer,** to profess
**professeur,** *m.*, professor
**professionnel, -le,** professional
**professionnel,** *m.*, professional
**profit,** *m.*, profit, gain
**profond, -e,** deep, profound, vast

**profondément,** profoundly, deeply
**profondeur,** *f.*, depth, extent, profundity
**programme,** *m.*, program
**progrès,** *m.*, progress, improvement
**prohibition,** *f.*, prohibition
**projecteur,** *m.*, searchlight
**promenade,** *f.*, walk, drive, excursion
**prolétaire,** *m. or f.*, proletarian
**promener,** to take out, take about; **se —,** to walk, take a walk, travel
**promeneur,** *m.*, walker, passer-by
**prononcer,** to pronounce, use (a word)
**propagande,** *f.*, propaganda
**propagateur,** *m.*, propagator, spreader
**propager,** to propagate, spread (abroad), popularize
**prophète,** *m.*, prophet
**prophétie,** *f.*, prophecy
**propos,** *m.*, saying, discourse, talk, words, remark; **à —,** by the way; **à — de,** regarding, speaking of
**proposer,** to propose
**proposition,** *f.*, proposition, motion, proposal
**propre,** *m. or f.*, own, neat, clean, peculiar
**prosateur,** *m.*, prose writer
**prospère,** *m. or f.*, prosperous, thriving
**prospérité,** *f.*, prosperity
**protection,** *f.*, protection
**protéger,** to protect
**protestant, –e,** Protestant
**protestation,** *f.*, protestation, declaration
**protester,** to protest
**prouver,** to prove
**province,** *f.*, province
**provincial, –e,** provincial
**provisoire,** *m. or f.*, temporary, provisional
**provoquer,** to provoke
**prudence,** *f.*, prudence
**prudent, –e,** prudent
**pruderie,** *f.*, shame, modesty, discretion
**pseudonyme,** *m.*, pseudonym, assumed name
**psychiâtre,** *m. or f.*, psychiatric; **médecin —,** psychiatrist
**psychoanalyse,** *f.*, psychoanalysis
**psychologie,** *f.*, psychology
**psychologique,** *m. or f.*, psychological
**psychologue,** *m.*, psychologist
**publi–c, –que,** public
**public,** *m.*, public, crowd, audience
**publicité,** *f.*, publicity
**publier,** to publish
**pudeur,** *f.*, shame
**puéril, –e,** juvenile, puerile, childish
**puis,** then
**puisque,** since
**puissance,** *f.*, power, greatness, force, strength
**puissant, –e,** powerful
**pupitre,** *m.*, desk, table
**punir,** to punish
**pur, –e,** pure
**purement,** purely
**pureté,** *f.*, purity, clearness
**puritain, –e,** Puritan
**puritanisme,** *m.*, Puritanism

## Q

**quadrillage,** *m.*, pavement of square stones *or* flags
**quai,** *m.*, quay, wharf, dock
**quaker,** *m.*, Quaker (English word)
**qualité,** *f.*, quality, value, rank, position
**quand,** when
**quant à,** as for
**quantité,** *f.*, quantity
**quarante,** forty
**quart,** *m.*, fourth, quarter
**quartier,** *m.*, quarter (of a city)
**quatre,** four
**quatre-vingts,** eighty
**qu', que,** which, than, as, if, but,

whom, why, that, what, how, how many
**quel, –le,** which, who, what, how great
**quel que,** whatever
**quelque,** some, any **—s,** a few, a few odd
**quelque chose,** *m.*, something
**quelquefois,** sometimes
**quelqu'un, –e,** somebody, some one
**querelle,** *f.*, quarrel, dispute
**question,** *f.*, question
**questionnaire,** *m.*, set of questions, questionnaire
**quête,** *f.*, quest, search
**qui,** who, whom, those, which
**quinze,** fifteen
**quitter,** to leave
**quoi,** which, what
**quoique,** although, however
**quotidien, –ne,** daily

## R

**race,** *f.*, race, species, breed
**racine,** *f.*, root, foundation
**racler,** to scrape
**raconter,** to tell, relate
**radical, –e,** radical
**radieu–x, –se,** radiant
**radio,** *m.*, radio, radiogram
**railler,** to scoff, laugh at, jeer
**raison,** *f.*, reason, sense; **avoir —,** to be right
**raisonnable,** *m. or f.*, reasonable
**raisonner,** to reason
**ramasser,** to pick up, gather
**rameau,** *m.*, branch
**ramener,** to bring back, take back
**rameu–r, –se,** rower
**rang,** *m.*, rank, row
**rangée,** *f.*, row
**ranger,** to arrange, draw up
**rapide,** *m. or f.*, swift, rapid
**rapidement,** rapidly, swiftly
**rappeler,** to recall, call back, remind; **se —,** to remember, recall
**rapport,** *m.*, connection, relationship, communication
**rapporter,** to bring back
**rapprocher,** to approach, bring near, bring together
**rare,** *m. or f.*, rare
**ras, –e,** close-shaved, bare, smooth, open
**rat,** *m.*, rat
**rattacher,** to connect, attach
**rattrapper,** to catch
**ravissant, –e,** delightful, charming
**rayé, –e,** striped, streaked
**réaction,** *f.*, reaction
**réagir,** to react
**réaliser,** to realize
**réalisme,** *m.*, realism
**réaliste,** *m. or f.*, realist
**réalité,** *f.*, reality
**rebelle,** *m. or f.*, rebellious
**rebelle,** *m.* rebel
**rebellion,** *f.*, rebellion
**récemment,** recently
**récent, –e,** recent
**recevoir,** to receive
**recherche,** *f.*, investigation, search, research, finish, studied refinement
**rechercher,** to seek, seek out
**récit,** *m.*, account, tale
**réclamer,** to demand, claim
**récolte,** *f.*, harvest, crop
**récompense,** *f.*, recompense, reward
**réconciliation,** *f.*, reconciliation
**reconnaître,** to recognize
**reconquérir,** to reconquer, regain, recover
**reconstruction,** *f.*, reconstruction
**reculer,** to retreat, go back, withdraw, recoil
**rédacteur,** *m.*, editor, publisher
**rédaction,** *f.*, drafting, drawing up, wording, writing
**redescendre,** to go down again, go back down
**rédiger,** to edit, publish
**redingote,** *f.*, riding-coat, frock-coat
**redoutable,** *m. or f.*, redoubtable, formidable, terrible, dreadful
**réduire,** to reduce
**réduit,** *m.*, retreat, nook

**réel, -le,** real
**réellement,** really
**refaire,** to remake, make over, make anew
**réfléchir,** to reflect
**réflexion,** *f.*, reflexion
**Réforme,** *f.*, Reformation
**refouler,** to repel, drive back, ebb, flow back
**réfugié,** *m.*, refugee
**refuser,** to refuse; **se —,** to sink, refuse
**regard,** *m.*, regard
**regarder,** to look at, regard, consider
**régime,** *m.*, administration, order, rule, diet
**région,** *f.*, region
**règle,** *f.*, rule
**réglé, -e,** regulated
**règne,** *m.*, reign
**régner,** to reign, obtain
**régression,** *f.*, regression, retrogression
**regret,** *m.*, regret
**regretter,** to regret, miss, be sorry
**régularité,** *f.*, regularity
**réguli-er, -ère,** regular
**rehausser,** to raise, heighten, set off, enrich, extol, enhance
**reine,** *f.*, queen
**rejoindre,** to join, rejoin
**relati-f, -ve,** relative
**relativité,** *f.*, relativity
**relativisme,** *m.*, relativity
**relief,** *m.*, relief
**relier,** to tie, bind, join
**religieuse,** *f.*, nun
**religieu-x, -se,** religious
**religion,** *f.*, religion
**relire,** to reread
**remarquable,** *m. or f.*, remarkable
**remarquer,** to notice
**remède,** *m.*, remedy, medicine, cure
**remettre,** to restore, postpone, deliver
**remonter,** to rise, reascend, go back, trace back, date from
**remords,** *m.*, remorse, compunction
**remorqueur,** *m.*, tug, tugboat
**remplacer,** to replace
**remplir,** to fill
**remporter,** to win (a victory), carry off
**renaissance,** *f.*, rebirth; **R—,** Renaissance
**rencontre,** *f.*, meeting, encounter
**rencontrer,** to meet, encounter
**rendre,** to render, make, return, give back, relinquish, give out, express, represent, pay (a visit); **se —,** to become, surrender; **se — à,** to go to, proceed; **se — compte,** to take into account, realize
**rêne,** *f.*, rein
**renforcer,** to reinforce
**renoncer** (à), to renounce, give up, surrender
**renseignement,** *m.*, information, direction
**renseigner,** to inform
**rente,** *f.*, yearly income, revenue
**rentrer,** to return, re-enter, come back
**renouveler,** to renew
**renverser,** to upset, throw down, throw back, overthrow
**répandre,** to spread out, spread about
**repas,** *m.*, meal, repast
**répéter,** to repeat
**répondre,** to answer, reply
**réponse,** *f.*, answer, reply
**reporteur,** *m.*, reporter
**repos,** *m.*, repose, rest
**reposer,** to rest, repose; **se —,** to rest oneself
**repousser,** to repulse, push back, repel
**reprendre,** to take back, take away, reply
**représentant,** *m.*, representative
**répression,** *f.*, repression
**républicain, -e,** republican
**république,** *f.*, republic
**réputation,** *f.*, reputation
**réserve,** *f.*, reservation, reserve, modesty

**réservoir,** *m.*, reservoir
**résidence,** *f.*, residence, abode, residing
**résigné, –e,** resigned
**résistance,** *f.*, resistance
**résister,** to resist
**respect,** *m.*, respect
**respectabilité,** *f.*, respectability
**respecter,** to respect
**respectueu–x, –se,** respectful
**responsable,** *m. or f.*, responsible
**responsabilité,** *f.*, responsibility
**résoudre,** to resolve, solve
**ressaisir,** to seize again, grasp again
**ressembler,** to resemble, look like
**ressort,** *m.*, force, strength, means, spring, deportment, extent of jurisdiction; **en dernier —,** in the last resort, without appeal
**ressusciter,** to revive
**restaurant,** *m.*, restaurant
**restaurer,** to restore, re-establish
**reste,** *m.*, rest, remainder; **—s,** remains
**rester,** to stay, remain
**résultat,** *m.*, result
**résulter,** to result
**résumer,** to resume, summarize
**retenir,** to retain, remember, reserve
**se retirer,** to withdraw
**retomber,** to fall back, subside, recede
**retour,** *m.*, return; **au —,** on the return journey
**retourner,** to return, go back, turn back, turn over; **se —,** to turn around
**retraite,** *f.*, retreat, retirement, refuge, hiding place, pension; **en —,** pensioned, retired
**se rétrécir,** to become narrow, shrink, contract
**retrouver,** to find again, recognize, regain; **se —,** to meet again
**réunir,** to unite, join, connect, gather
**réussi, –e,** successful, brilliant, well carried out
**réussir (à),** to succeed (in)
**réussite,** *f.*, success
**revanche,** *f.*, revenge, retaliation; **en —,** by way of retaliation, in return
**rêve,** *m.*, dream
**réveil,** *m.*, waking, awaking
**réveiller,** to awaken, wake
**révéler,** to reveal
**rêverie,** *f.*, reverie, musing, dream
**revenir,** to come back, return
**revenu,** *m.*, revenue, income
**rêver,** to dream, muse
**rêveur,** *m.*, dreamer
**rêveu–r, –se,** pensive, dreamy, musing
**revoir,** to see again, review
**révolte,** *f.*, revolt, rebellion
**révolter,** to revolt, rebel; **se —,** to rise up against, revolt
**revolver,** *m.*, revolver
**révolution,** *f.*, revolution
**revue,** *f.*, review, survey, magazine
**revuiste,** *m. or f.*, reviewer
**rez-de-chaussée,** *m.*, ground floor
**rhythme,** *m.*, rhythm
**rhum,** *m.*, rum
**riche,** *m. or f.*, rich
**richesse,** *f.*, wealth
**rideau,** *m.*, curtain
**ridicule,** *m. or f.*, ridiculous
**rien,** *m.*, trifle, nothing; **ne —,** nothing
**rigide,** *m. or f.*, rigid
**rigoureu–x, –se,** rigorous, severe
**rire,** to laugh
**risque,** *m.*, risk, hazard, peril
**risquer,** to risk
**rivage,** *m.*, shore
**rival, –e,** rival
**rive,** *f.*, shore, bank
**rivière,** *f.*, river, stream
**robe,** *f.*, dress, robe, gown
**roc,** *m.*, rock
**rocaille,** *f.*, rockwork, grottowork

**rocher,** *m.*, large rock, boulder, cliff
**rocheu-x, -se,** rocky, stony
**roi,** *m.*, king
**rôle,** *m.*, role, part
**Romain,** *m.*, Roman
**roman,** *m.*, novel
**roman, -e,** Romanic, Romance
**romanci-er, -ère,** novelist
**romanesque,** *m.*, romance
**romanticisme,** *m.*, romanticism
**romantique,** *m. or f.*, romantic
**romantisme,** *m.*, romanticism
**rompre,** to break
**rond, -e,** round
**ronde,** *f.*, round, circle
**roquefort,** *m.*, Roquefort cheese
**rose,** *m. or f.*, pink, rose
**rose,** *f.*, rose
**rosée,** *f.*, dew
**rôtir,** to roast
**rouge,** *m. or f.*, red
**rouler,** to roll
**round,** *m.*, round
**route,** *f.*, road, route, way
**royal, -e,** royal
**ruche,** *f.*, beehive
**rude,** *m. or f.*, rough, rude, harsh, rugged, steep, violent, severe, uncouth, boisterous, troublesome, difficult
**rudimentaire,** *m. or f.*, rudimentary
**rue,** *f.*, street
**rugby,** *m.*, rugby
**ruine,** *f.*, ruin, decay; **en —,** in ruins
**ruiner,** to ruin
**ruse,** *f.*, trickery, cunning, ruse, trick
**russe,** *m. or f.*, Russian
**Russie,** *f.*, Russia
**rythme,** *m.*, rhythm

## S

**sable,** *m.*, sand
**sac,** *m.*, bag, sack
**sacré, -e,** sacred, holy
**sacrifice,** *f.*, sacrifice
**sacrifier,** to sacrifice, devote
**safran,** *m.*, saffron
**sage,** *m.*, wise man
**sage,** *m. or f.*, wise, good
**sagement,** wisely, prudently
**sagesse,** *f.*, wisdom
**sain, -e,** healthful, wholesome
**saint, -e,** saintly, holy
**saint,** *m.*, saint
**saisir,** to seize, grasp, catch
**saison,** *f.*, season
**salade,** *f.*, salad
**salaire,** *m.*, wages, pay, hire, salary
**salé, -e,** salt, salty
**salle,** *f.*, room, hall; **— à manger,** dining-room; **— de bain,** bathroom; **— de cinéma,** moving picture theatre; **— de concert,** concert hall; **— de classe,** classroom
**salon,** *m.*, salon, drawing-room, living-room
**salut,** *m.*, greeting, bow, salute, salvation
**samedi,** *m.*, Saturday
**sandwich,** *m.*, sandwich
**sang,** *m.*, blood; **pur-—,** thoroughbred
**sans,** without
**santé,** *f.*, health
**sapin,** *m.*, fir tree
**sarcastique,** *m. or f.*, sarcastic
**satire,** *f.*, satire
**satirique,** *m. or f.*, satirical
**satisfait, -e,** satisfied, contented
**saturation,** *f.*, saturation
**sauce,** *f.*, gravy, sauce
**sauf,** except, save
**saule,** *m.*, willow
**saut,** *m.*, leap, jump; **— périlleux,** somersault
**sauter,** to jump, leap
**sauvage,** *m. or f.*, wild
**sauvagement,** savagely, wildly, violently
**sauver,** to save
**savant,** *m.*, scholar, learned man, savant
**savant, -e,** learned, scholarly, intricate, skilled
**savetier,** *m.*, cobbler
**saveur,** *m.*, taste, savor, flavor, zest

**savoir,** to know, understand, know how to
**scandinave,** *m. or f.*, Scandinavian
**scarabée,** *m.*, beetle
**scène,** *f.*, scene, stage
**sceptique,** *m.*, sceptic
**scepticisme,** *m.*, scepticism
**sceptre,** *m.*, sceptre
**schématique,** *m. or f.*, schematic
**science,** *f.*, science, knowledge
**scientifique,** *m. or f.*, scientific
**sculpteur,** *m.*, sculptor
**sculpture,** *f.*, sculpture, carving
**séance,** *f.*, meeting, recital, session
**sec, sèche,** dry
**sécheresse,** *f.*, dryness, drought
**second, –e,** second
**secondaire,** *m. or f.*, secondary
**secouer,** to shake
**secr–et, –ète,** secret
**secret,** *m.*, secret
**secrétaire,** *m. or f.*, secretary
**secte,** *f.*, sect
**séculaire,** *m. or f.*, secular
**sécurité,** *f.*, security
**sédentaire,** *m. or f.*, sedentary, settled, stationary
**séduire,** to charm, seduce, fascinate, captivate
**seigneur,** *m.*, lord
**seize,** sixteen
**sel,** *m.*, salt
**selon,** according to
**semaine,** *f.*, week
**semblable,** *m. or f.*, like, similar; *as n.*, fellow man
**sembler,** to seem
**seminaire,** *m.*, seminary
**sénat,** *m.*, senate
**sénateur,** *m.*, senator
**sens,** *m.*, sense, meaning, direction
**sensation,** *f.*, sensation
**sensible,** *m. or f.*, sensitive, obvious
**sensuel, –le,** sensuous, sensual, carnal
**sentence,** *f.*, judgment, decree, verdict, sentence
**sentiment,** *m.*, sentiment, feeling
**sentimental, –e,** sentimental
**sentimentalisme,** *m.*, sentimentality, sentimentalism
**sentir,** to smell, feel; **se —,** to feel
**séparer,** to separate
**sept,** seven
**sépulcral, –e,** sepulchral
**sérénité,** *f.*, serenity
**serf,** *m.*, serf
**série,** *f.*, series
**sérieu–x, –se,** serious
**sermon,** *m.*, sermon
**serpenter,** to wind, twist
**serre,** *f.*, greenhouse, conservatory
**service,** *m.*, service
**servir,** to serve; **se — de,** to make use of
**serviteur,** *m.*, servitor, servant
**seuil,** *m.*, threshold
**seul, –e,** alone, lonely, single, only, mere, merely
**seulement,** only
**sévère,** *m. or f.*, severe, harsh, rigid, correct, pure
**sévérité,** *f.*, severity, seriousness
**sexe,** *m.*, sex
**sexuel, –le,** sexual
**sheriff,** *m.*, sheriff (English word)
**si,** if, so, yes
**Sicile,** *f.*, Sicily
**siècle,** *m.*, century
**siège,** *m.*, seat, siege
**signature,** *f.*, signature
**signe,** *m.*, sign
**signer,** to sign
**signifier,** to signify
**silence,** *m.*, silence
**silencieu–x, –se,** silent
**simple,** *m. or f.*, simple, plain, modest, unaffected
**simplement,** simply, plainly
**simplicité,** *f.*, simplicity, plainness
**sincère,** *m. or f.*, sincere
**sincèrement,** sincerely
**sinon,** otherwise, if not, or else
**sirène,** *f.*, siren, whistle
**sirop,** *m.*, syrup
**situation,** *f.*, situation
**situé, –e,** situated, located

**six,** six
**snob,** *m.,* snob
**snobisme,** *m.,* snobbishness
**sobre,** *m. or f.,* sober
**soc,** *m.,* pedestal, stand, base, socket
**social, –e,** social
**socialisme,** *m.,* socialism
**socialiste,** *m. or f.,* socialist
**société,** *f.,* society, organization, company
**sœur,** *f.,* sister
**soi,** oneself, itself
**soie,** *f.,* silk
**soif,** *m.,* thirst; **avoir —,** to be thirsty
**soigner,** to take care of, nurse, treat
**soigneusement,** carefully
**soi-même,** oneself
**soin,** *m.,* care, carefulness, attention
**soir,** *m.,* evening
**soirée,** *f.,* evening, evening party
**soit,** so be it, that is, that is to say; — . . . —, either . . . or, whether . . . or; — **que,** whether
**soixante,** sixty
**soixante-quinze,** seventy-five
**sol,** *m.,* soil, earth, ground
**soldat,** *m.,* soldier
**solde,** *f.,* (military), pay; **demi-—,** half pay
**soleil,** *m.,* sun
**solidarité,** *f.,* solidarity
**solide,** *m. or f.,* solid, strong, firm
**solidité,** *f.,* solidity
**solitude,** *f.,* solitude
**sombre,** *m. or f.,* dark, somber
**sommaire,** *m.,* summary
**sommeil,** *m.,* sleep
**sommet,** *m.,* top, summit
**son,** *m.,* sound
**sonner,** to ring
**sonnette,** *f.,* small bell
**sort,** *m.,* fate
**sorte,** *f.,* kind, sort, way, manner; **de — que,** so that
**sortie,** *f.,* exit, going out
**sortir,** to come out, go out
**sot, –te,** silly, foolish
**souci,** *m.,* care, worry
**soudain, –e,** sudden, unexpected
**soudain,** suddenly, all of a sudden
**souffle,** *m.,* breath, puff (of wind), inspiration
**souffler,** to blow, breathe, complain
**souffrance,** *f.,* suffering
**souffrir,** to suffer, allow, permit
**souhaitable,** *m. or f.,* desirable
**souhaiter,** to wish
**soulever,** to lift, raise
**soumettre,** to submit, subdue, conquer
**souper,** *m.,* supper
**souple,** *m. or f.,* supple
**source,** *f.,* source, origin, spring
**souriant, –e,** smiling
**sourire,** *m.,* smile
**sourire,** to smile
**sous,** under
**sous-vêtement,** *m.,* underclothing
**souscription,** *f.,* subscription
**souscrire,** to subscribe
**soutenir,** to sustain, uphold
**se souvenir (de),** to remember, recall
**souvenir,** *m.,* memory, souvenir
**souvent,** often
**spécial, –e,** special
**spécialiste,** *m.,* specialist
**spécialisation,** *f.,* specialization
**spectacle,** *m.,* sight, show, play, spectacle
**spectateur,** *m.,* spectator
**spectre,** *m.,* ghost, apparition
**spéculateur,** *m.,* speculator
**spéculation,** *f.,* speculation
**spéculer,** to speculate
**spinozisme,** *m.,* philosophy of Spinoza
**spinoziste,** *m. or f.,* Spinozist
**spirituel, –le,** spiritual, witty, intellectual
**splendeur,** *f.,* splendor
**splendide,** *m. or f.,* splendid, magnificent
**spontané, –e,** spontaneous
**sport,** *m.,* sport
**sportif,** *m.,* athlete
**sporti–f, –ve,** athletic

**stable,** *m. or f.*, stable, lasting
**stabilité,** *f.*, stability
**stade,** *m.*, stadium
Stagire, *f.*, Stagira (a city of Macedonia, birthplace of Aristotle)
**standardisation,** *f.*, standardization
**standardiser,** to standardize
**station,** *f.*, station, stop
**statique,** *m. or f.*, static
**statistique,** *f.*, statistics, returns
**statue,** *f.*, statue
**statut,** *m.*, law, statute
**stendhalien, –ne,** (admirer) of Stendhal, like Stendhal
**store,** *m.*, blind, roller blind
**stratège,** *m.*, strategist, strategy
**stricte,** *m. or f.*, strict
**studieu–x, –se,** studious
**stupéfait, –e,** stupefied, astounded
**stupéfiant, –e,** stupefying
**style,** *m.*, style
**subir,** to undergo, suffer
**subjecti–f, –ve,** subjective
**subjectivité,** *f.*, subjectivity
**substituer,** to substitute
**succéder,** to succeed, follow
**succès,** *m.*, success
**successeur,** *m.*, successor
**successi–f, –ve,** successive
**successivement,** successively
**succotash,** *f.*, succotash
**sucrerie,** *f.*, sugar refinery, confectionery, sweets
**sud,** *m.*, south
**sud-ouest,** *m.*, southwest
Suède, *f.*, Sweden
**suédois, –e,** Swedish; **S—,** Swede
**suffire,** to suffice, be enough
**suisse,** *m. or f.*, Swiss
Suisse, *f.*, Switzerland
**suite,** *f.*, succession, continuation, result, series; **tout de —,** at once; **à la — de,** after, following
**suivant, –e,** following, according to
**suivre,** to follow; **— des cours,** to take courses
**sujet,** *m.*, subject, individual
**sultan,** *m.*, sultan
**superbe,** *m. or f.*, superb
**superflu, –e,** superfluous
**supérieur, –e,** superior
**supériorité,** *f.*, superiority
**superlatif,** *m.*, superlative
**supporter,** to bear, endure
**supposer,** to suppose
**supprimer,** to suppress, stop, cut out, take out
**suprématie,** *f.*, supremacy
**suprême,** *m. or f.*, supreme
**sur,** on, upon, in, over, about
**sûr, –e,** sure, certain, secure, firm
**suranné, –e,** superannuated, out of date
**sûreté,** *f.*, safety, security, safekeeping
**surface,** *f.*, surface
**surgir,** to land, arise, rise into notice
**surmener,** to overwork, treat badly
**surplomber,** to overhang
**surprenant, –e,** surprising
**surprendre,** to surprise
**surprise,** *f.*, surprise
**surproduction,** *f.*, over-production
**surtout,** above all, especially
**survégétal, –e,** supervegetable
**surveiller,** to watch, keep an eye on, supervise
**sweater,** *m.*, sweater
**sycomore,** *m.*, sycamore
**symbole,** *m.*, symbol, sign
**symbolique,** *m. or f.*, symbolic
**symbolisme,** *m.*, symbolism
**sympathie,** *f.*, sympathy
**sympathique,** *m. or f.*, sympathetic
**symphonie,** *f.*, symphony
**synonyme,** *m.*, synonym
**systématiquement,** systematically
**système,** *m.*, system

## T

**table,** *f.*, table

**tableau,** *m.*, picture; — **d'affichage,** score board, bulletin board
**tact,** *m.*, tact
**tailler,** to trim
**tambour,** *m.*, drum; —**-major,** *m.*, drum-major
**tandis que,** while, whereas
**tant,** so much, so many; — **que,** so long as
**tantôt,** sometimes; — . . . —, now . . . now
**taper,** to strike, slap, typewrite
**tapis,** *m.*, carpet, rug
**tard, -e,** late
**tartare,** *m. or f.*, Tartar
**tarte,** *f.*, pie, tart; — **aux pommes,** apple pie
**tas,** *m.*, pile, heap, lot
**taxi,** *m.*, taxi
**technicien,** *m.*, technician
**technique,** *f.*, technique
**teinte,** *f.*, complexion
**tel, -le,** such, such a one, a certain; — **que,** such as, just as
**télégramme,** *m.*, telegram
**télégraphiste,** *m.*, telegrapher, telegraph operator
**téléphone,** *m.*, telephone
**tellement,** so, so much, in such a manner
**témérité,** *f.*, temerity, recklessness
**témoignage,** *m.*, testimony, evidence
**témoigner,** to testify
**témoin,** *m.*, witness
**température,** *f.*, temperature
**temple,** *m.*, temple
**temporaire,** *m. or f.*, temporary
**temporairement,** temporarily
**temps,** *m.*, time, weather
**tendance,** *f.*, tendency
**tendre,** to tend, stretch, spread
**tendre,** *m. or f.*, tender, delicate, sensitive, affectionate
**tendresse,** *f.*, tenderness
**tenez !,** look ! here ! hold ! now then ! there !
**tenir,** to have, hold, keep, contain, lie, regard; — **à,** to be anxious to, insist upon; — **à** (*plus noun*) to be in love with, admire; **se —,** to stand, hold, control oneself, consider
**ténor,** *m.*, tenor
**tentative,** *f.*, attempt, trial, endeavor
**tenter,** to tempt, try, attempt
**tenue,** *f.*, attitude, dress
**terme,** *m.*, term
**terminer,** to end
**terrain,** *m.*, land, ground, field; — **de sport,** athletic field
**terrasse,** *f.*, terrace
**terre,** *f.*, earth, land, ground
**terrestre,** *m. or f.*, terrestrial, earthly
**terreur,** *f.*, terror, trepidation, dread
**terrible,** *m. or f.*, terrible, frightful
**terriblement,** terribly
**terrifié, -e,** terrified
**territoire,** *m.*, territory
**testament,** *m.*, testament, will
**tête,** *f.*, head, front; — **à** —, intimate conversation
**texte,** *m.*, text
**thé,** *m.*, tea
**théâtre,** *m.*, theater
**théologie,** *f.*, theology
**théorie,** *f.*, theory
**thème,** *m.*, theme
**thésaurisation,** *f.*, hoarding
**thèse,** *f.*, thesis
**tiède,** *m. or f.*, lukewarm, mild, soft
**timide,** *m. or f.*, timid
**timidité,** *f.*, timidity
**tirer,** to draw, pull, extract, get
**tireuse,** *f.*, one who shoots or draws; — **à l'arc,** archer
**titre,** *m.*, title; — **accrocheur,** headline; — **de gloire,** claim to fame
**titulaire,** *m. or f.*, incumbent
**toile,** *f.*, canvas, linen, cloth, sheet
**toit,** *m.*, roof
**tolérer,** to tolerate, endure
**tomate,** *f.*, tomato
**tombal, -e** (archeological term), **pierre —e,** tombstone

**tombe,** *f.*, grave, tomb
**tombeau,** *m.*, tomb, burial place
**tomber,** to fall, drop
**ton,** *m.*, tone
**torpilleur,** *m.*, torpedo boat
**torse,** *m.*, torso
**tort,** *m.*, wrong; **avoir —,** to be wrong
**tôt,** soon; **— ou tard,** sooner or later
**toucher,** to touch, reach, receive (money), affect, skim, play (a musical instrument)
**toujours,** always, still
**tour,** *m.*, turn
**tour,** *f.*, tower
**tourbilloner,** to whirl, spin, twirl
**tourmenter,** to torment, torture, trouble, annoy
**tourner,** to turn, revolve, whirl, twirl, walk around
**tournoi,** *m.*, tourney, tournament
**tournoyer,** to eddy
**tout,** *m.*, everything, whole
**tout** (*adv.*), very, quite; **— de même,** all the same, however; **— à fait,** altogether, quite; **— en,** while; **— de suite,** immediately
**tout, toute, tous, toutes,** all, every, any, each
**toutefois,** however, nevertheless
**tracer,** to trace, sketch, lay out
**tradition,** *f.*, tradition
**traditionnel, -le,** traditional
**traduction,** *f.*, translation, transferring
**traduire,** to translate
**tragédie,** *f.*, tragedy
**tragique,** *m. or f.*, tragic
**trahir,** to betray
**trahison,** *f.*, treason, treachery
**train,** *m.*, train; **en — de,** in the act of
**trait,** *m.*, trait, feature
**traité,** *m.*, treaty, treatise
**traitement,** *m.*, treatment, salary
**traiter,** to treat
**traître,** *m.*, traitor
**trajet,** *m.*, voyage, journey, direction
**tramway,** *m.*, street-car
**tranche,** *f.*, slice, edge
**tranquille,** *m. or f.*, tranquil, calm, peaceful, still
**tranquillement,** calmly, peacefully, quietly
**transatlantique,** *m. or f.*, transatlantic
**transformation,** *f.*, transformation
**transformer,** to transform
**transition,** *f.*, transition
**transmettre,** to transmit, hand down
**transparent, -e,** transparent
**transposer,** to transpose
**transversal, -e,** transversal, transverse
**travail,** *m.*, work, labor
**travailler,** to work
**travailleur,** *m.*, worker, laborer
**traversée,** *f.*, crossing
**traverser,** to traverse, pass through
**travers: à —,** through
**tremblement,** *m.*, trembling; **— de terre,** earthquake
**trembler,** to tremble, quiver
**tremper,** to soak, dip
**trente,** thirty
**trentième,** *m. or f.*, thirtieth
**très,** very
**triangulaire,** *m. or f.*, triangular
**tribut,** *m.*, tribute
**tricot,** *m.*, knitting, knitted wear, jersey, sweater
**tricoter,** to knit
**triompher,** to triumph
**tripler,** to triple
**triste,** *m. or f.*, sad, sorrowful
**tristesse,** *f.*, sadness, grief
**Troie,** *f.*, Troy
**trois,** three
**troisième,** *m. or f.*, third
**tromper,** to mislead, betray, deceive, cheat; **se —,** to be mistaken
**trop,** too, too much, too many
**tropical, -e,** tropical
**trottoir,** *m.*, sidewalk
**trou,** *m.*, hole
**troubler,** to disturb, trouble

**troupe,** *f.*, troop, band, company
**trouver,** to find, like; **se —,** to find oneself, be found, be
**trust,** *m.*, trust (English word)
**tube,** *f.*, tube
**tuer,** to kill
**tunique,** *f.*, tunic, coat
**turc, turque,** Turkish
**type,** *m.*, type
**type,** *m. or f.*, typical
**tyrannie,** *f.*, tyranny

## U

**un, –e,** a, one; **l'— l'autre,** both, each other
**unification,** *f.*, unification
**uniforme,** *m.*, uniform
**union,** *f.*, union, unity, agreement
**unique,** *m. or f.*, single, alone, unique, sole
**unir,** to unite
**unité,** *f.*, unity
**univers,** *m.*, universe
**universel, –le,** universal, general
**université,** *f.*, university
**usage,** *m.*, use, habit, custom
**usé, –e,** worn out
**user,** to wear out
**usine,** *f.*, factory
**usure,** *m. or f.*, usury, wear, wearing-out
**utile,** *m. or f.*, useful
**utopie,** *f.*, Utopia

## V

**vacance,** *f.*, vacancy; **—s,** vacation
**vache,** *f.*, cow
**vague,** *m. or f.*, vague, hazy
**vague,** *f.*, wave
**vain, –e,** vain, futile
**vaincre,** to conquer, overcome, defeat
**vainqueur,** *m.*, conqueror, victor
**vaisseau,** *m.*, vessel, ship
**valeur,** *f.*, value; **—s,** stocks, shares, securities
**vallée,** *f.*, valley
**valoir,** to be worth, bring to, procure; **— mieux,** to be better
**vapeur,** *f.*, steam; **à toute —,** at full speed
**varié, –e,** varied
**variété,** *f.*, variety
**vase,** *m.*, vessel, utensil, vase
**vaste,** *m. or f.*, vast
**vassal,** *m.*, vassal
**Vatican,** *m.*, Vatican
**veille,** *f.*, the night before; **— de Noël,** Christmas Eve
**veiller,** to watch, watch over
**vendeur,** *m.*, salesman, clerk
**vendre,** to sell
**vénérable,** *m. or f.*, venerable
**vénération,** *f.*, veneration, respect
**venir,** to come; **— de,** to have just
**vent,** *m.*, wind
**vente,** *f.*, sale
**ver,** *m.*, worm
**verbe,** *m.*, verb
**vérifier,** to verify
**véritable,** *m. or f.*, true, real
**vérité,** *f.*, truth, reality
**verre,** *m.*, glass
**vers,** *m.*, verse, line
**vers,** toward, about
**Versailles,** *m.*, Versailles
**verser,** to pour, pour out
**vert, –e,** green
**vertical, –e,** vertical, upright
**vertu,** *f.*, virtue
**vertueu–x, –se,** virtuous
**veste,** *f.*, jacket
**vêtement,** *m.*, garment, clothes
**vêtir,** to dress
**veuve,** *f.*, widow
**vice,** *m.*, vice
**victime,** *f.*, victim, sufferer
**victoire,** *f.*, victory
**vide,** *m. or f.*, empty, devoid, open, blank
**vide,** *m.*, emptiness, void, vacuum, blank
**vie,** *f.*, life, living
**vieillard,** *m.*, old man
**vieillir,** to age, grow old
**Vienne,** *f.*, Vienna
**vierge,** *m. or f.*, virgin

**vieux, vieil, vieille,** old
**vi-f, -ve,** lively, active, quick, vivid, bright
**vigueur,** *f.*, strength, vigor, energy
**vigoureu-x, -se,** vigorous
**village,** *m.*, village
**ville,** *f.*, city; — **basse,** down town; — **haute,** up town
**vin,** *m.*, wine
**vingt,** twenty
**vingt-deux,** twenty-two
**vingt-trois,** twenty-three
**violence** *f.*, violence
**violent, -e,** violent
**violon,** *m.*, violin
**violoncelle,** *m.*, violoncello
**virulent, -e,** virulent
**virginien, -ne,** Virginian
**visage,** *m.*, face, visage
**visible,** *m. or f.*, visible
**vision,** *f.*, vision
**visite,** *f.*, visit, call, inspection
**visiter,** to visit
**visiteur,** *m.*, visitor
**vitalité,** *f.*, vitality
**vite,** quickly
**vitesse,** *f.*, speed, rapidity, quickness
**vivant, -e,** living, alive
**vivant,** *m.*, a living being
**vivement,** keenly, vividly, rapidly
**vivre,** to live
**vocabulaire,** *m.*, vocabulary
**voguer,** to sail
**voici,** here is, here are
**voie,** *f.*, way, railroad, track, road
**voilà,** there is, there are
**voilé, -e,** veiled, dim, obscure, muffled
**voir,** to see
**voisin,** *m.*, neighbor
**voisin, -e,** near, adjoining
**voisine,** *f.*, neighbor
**voiture,** *f.*, car, carriage, cart, conveyance, automobile, wagon
**voix,** *f.*, voice; **à haute —,** aloud
**volant,** *m.*, fly wheel, steering wheel
**voler,** to fly, steal, rob
**volet,** *m.*, shutter
**volontaire,** *m. or f.*, voluntary
**volonté,** *f.*, will, will power, desire
**volontiers,** willingly, gladly
**volume,** *m.*, volume
**vouloir,** to wish, expect, try, attempt; — **bien,** to be willing; — **dire,** to mean
**volupté,** *f.*, luxury, voluptuousness
**voyage,** *m.*, journey, trip, voyage; **faire un —,** to take a trip
**voyager,** to travel, journey
**voyageur,** *m.*, traveler, passenger
**vrai, -e,** true, real
**vraiment,** truly, really
**vue,** *f.*, view, sight, prospect
**vulgaire,** *m. or f.*, vulgar, common
**vulnérable,** *m. or f.*, vulnerable

## W

**wagon,** *m.*, railroad car
**wagon-lit,** *m.*, sleeper

## Y

**y,** there, in it, in them, at it, at them, to it, to them
**yard,** *m.*, yard (English word)
**yeux,** *m.* (*pl. of* **œil**) eyes

## Z

**zéro,** *m.*, zero